UN CHAGRIN
D'AMOUR ET D'AILLEURS

FRANÇOISE MALLET-JORIS
de l'Académie Goncourt

UN CHAGRIN
D'AMOUR
ET D'AILLEURS

BERNARD GRASSET

PARIS

A mon fils Vincent.

Un vacarme multicolore a envahi sa tête. Des tentes rayées tournoient avec des couleurs de berlingot. Des champignons gigantesques se font haut-parleurs et il en sort des musiques stridentes, des voix narquoises qui se mélangent, énoncent des chiffres et des prénoms. On l'appelle peut-être? « Madame Jeannette Lefèvre est attendue au bureau de l'Information. » Mais elle n'est pas certaine d'avoir bien compris. « Madame Jeannette Lefèvre est attendue pour une interrogation. » C'était peut-être ça? On va lui poser des questions. Un examen. Si elle s'était préparée... Cette foule sans visage autour d'elle, ces musiques qui se mêlent, l'empêchent de se concentrer. « Un enfant s'est perdu près du stand de la tombola... Une Loterie des Enfants Perdus aura lieu dans une heure d'ici, prenez vos billets... » Mais où? Où faut-il prendre un billet?

Jeannette est perdue. Elle ne connaît pas les

réponses, elle va rater son examen de sciences naturelles, elle n'aura pas son billet pour la tombola, et bien qu'elle l'aperçoive de loin, elle n'atteindra jamais la bulle de verre, d'acier et de béton qui retient Gilbert prisonnier. Elle lutte, elle se débat, elle n'arrive pas à avancer, à s'extirper d'un enlisement parfumé de sueur et d'anis. Il le faut pourtant, il faut parvenir jusqu'à lui, songe-t-elle avec désespoir.

Il est là-bas, prisonnier, protégé par la structure solide de la bulle, que la pâte humaine n'envahira pas. Elle est convoquée. Elle doit y aller. C'est l'inauguration de la maison de la culture, elle le sait. C'est écrit sur le billet de tombola que... Mais elle l'a perdu! Et il l'attend! Et si elle ne répond pas à sa convocation, c'est le retrait du permis de conduire, de la carte d'électeur, de... Elle doit parvenir à la bulle de verre, sur la cheminée, qui protège une statue de cire, une Vierge du XVIIe et les deux petits mariés en sucre qui étaient sur le gâteau, il y a quinze ans, et qui s'empoussièrent doucement... Elle doit parvenir au bout de l'allée de marronniers, elle doit... Mais une tentation douce comme le sommeil la gagne petit à petit, ses membres fatigués de lutter vont se détendre; elle se laisse aller parmi les vagues qui l'entourent, la portent en avant, en arrière, bercement au bord de la nausée. Et la foule aux mille couleurs tournoie, et le bruit augmente, elle ne distingue même plus les mots, est-ce qu'on l'appelle, est-ce même Gilbert, là-bas, Gilbert, au secours, elle est entraînée, loin de lui, qu'on me laisse me dégager, qu'on me laisse, ou alors qu'on me pousse la tête sous l'eau carrément, tout de suite... Mais elle ne se noiera pas, elle est prise seulement dans la pâte multicolore, et partout autour d'elle elle voit ricaner les marchands de berlingots qui tirent avec leurs longues pinces cruelles sur cette pâte qui tourne, qui répand son parfum anisé et chimique, étouffant... Et ces hommes (ce sont peut-être de faux marchands? Peut-être ses ennemis Jalabert, Buckerman, Ferrand, qui se sont déguisés?) ces hommes étirent les couleurs jusqu'à la souffrance, le large ruban vert, rouge et blanc devient fil, devient cheveu, retourne à la masse... non, pas ce supplice, plutôt en finir tout de suite! Et sans doute un peu de pitié subsiste encore quelque part sur terre, car le vendeur soudain tout proche tire une dernière fois le ruban jusqu'à lui, et de ses ciseaux énormes, avec un petit bruit sec et définitif, le sépare en unités bien définies, aussitôt solidifiées, refroidies, tombant dans le cornet de papier comme des têtes dans le panier de la guillotine.

La violence ridicule de cette image! Cela vient sûrement de ce que l'oreiller trop haut lui a fait mal au cou. Cou coupé, berlingot de la fête. Violence, emphase, rire brutal et bête, vérité du rêve. Elle ouvre les yeux.

Par la fenêtre de sa chambre, on voit des fleurs. La clinique est littéralement cernée par les fleurs. Des rosiers sur la façade, et par-derrière, des parterres de reines-marguerites et de liliums. Tout au fond du jardin, cachant le mur, s'agrippant à la pierre, des fleurs, encore des fleurs. On peut supposer que c'est pour redonner le goût de vivre aux malades qui séjournent ici. Ce sont des fleurs domestiques. Pourtant ça peut être sauvage une fleur. Sont-elles, elles-mêmes, en traitement?

La vieille dame charmante et distinguée, toujours en gris tourterelle ou en mauve pensée, qui est la voisine de Jeannette, sort parfois dans le jardin par la porte-fenêtre. Car c'est une clinique, ce n'est pas une prison. Elle fait quelques pas et s'en revient déçue.

— Avant que le docteur Lévy s'occupe de

moi, j'avais la grâce, explique-t-elle avec résignation. Les fleurs poussaient devant moi, toutes seules, entre les pavés. Mais *ils* n'aimaient pas ça. Même Monseigneur. Alors le docteur Lévy m'a guérie.

Elle est trop bien élevée, cette vieille dame, pour se plaindre. Mais elle ne peut s'empêcher d'aller vérifier de temps à autre. Elle marche et ses lèvres remuent; elle scrute le sol : rien. Elle soupire. Certainement elle est guérie.

— Mais il y en a des masses, de fleurs, ici, dit Jeannette, je trouve même qu'il y en a un peu trop.

— Ce ne sont pas du tout les mêmes! Le ton est poli mais définitif, et depuis elle évite toujours Jeannette.

Ça lui a fait un peu de peine, mais elle ne va pas y passer sa vie dans cette clinique. Pas la peine de se lier pour en souffrir par la suite.

Non seulement elle ne va pas y passer sa vie, mais elle n'y passera même pas une journée de plus. Dès qu'elle aura commencé à appliquer son plan, à agir, elle se sentira mieux. Elle se lève, passe dans la salle de bains. Moquette, faïence teintée, appareils sanitaires, rien ne rappelle qu'on n'est pas tout à fait dans un hôtel. « Tu n'es pas à plaindre, a dit Gilbert son mari, lors des deux premières désintoxications, moi j'y passerais bien quinze jours dans cette clinique si je le pouvais. »

Elle ouvre le placard, commence à s'habiller. Sa jupe glisse sur ses hanches. Elle a perdu cinq kilos, c'est toujours ça. Quatre ans de plus que Gilbert et quelques kilos à perdre. C'est ce qu'on voit d'abord, c'est ce qui paraît justifier que Gilbert la trompe. Et puis ils n'ont pas d'enfants. Il est pourtant évident qu'il y a des pères de huit enfants qui trompent leurs femmes et que, lorsque Gilbert s'intéresse à une jolie blonde de Passy ou à une jeune militante pleine d'ardeur, ce n'est pas pour fonder une famille. N'empêche. C'est tout de même une sanction. Elle n'est pas tout à fait innocente, puisqu'elle est stérile. Même Mireille, la secrétaire de Gilbert, qui a de la sympathie pour elle, lui fait sentir que c'est « regrettable »...

Regrettable! Je la giflerais! Mais ce n'est pas le moment. Mireille est, temporairement au moins, une alliée. « Il vous adore, au fond », dit Mireille avec décision. Et vive Mireille! « Il ne faut pas vous laisser faire par une intrigante », dit Mireille. Jeune vieille fille qui même dans ses synthétiques d'été paraît toujours vêtue de noir, ardente et puritaine méridionale, sténodactylo bilingue, dévouée à Gilbert d'une façon tendre et hargneuse, Mireille est grande consommatrice de romans-photos, de chansons faciles, de films sentimentaux; elle est, aussi, la grande chèvre noire qui potine au lavoir sous un soleil aussi brutal qu'elle et qui jette des pierres à la femme adultère. « Madame Lefèvre, dit Mireille, il faut voir les choses en face. Madame Lefèvre, il faut reconquérir votre mari. »

Entre elles deux, l'ombre haïe de Marie-Christine passe comme un éclair.

— Cette inauguration de la maison de la culture est si importante! C'est tout de même le rêve de Gilbert qui se réalise! Et puis il y aura FR 3, *le Journal du dimanche,* des photographes... Et Gilbert a un calendrier si chargé jusqu'en novembre; si vous vous montrez régulièrement à ses côtés, il deviendra beaucoup plus difficile... Hein?

Sans doute. Il est curieux qu'il devienne plus difficile de les séparer, elle qui l'aime, et lui, mais oui, qui l'aime aussi, s'ils sont ensemble sur les photos, dans les actualités régionales. Mais sans doute Mireille a-t-elle raison. Le document, l'écrit, l'image, comptent tellement aujourd'hui! Si c'est elle qu'on voit pendant quelques mois aux côtés de Gilbert, Marie-Christine aura beaucoup plus de peine à se glisser dans l'image par la suite. Beaucoup plus de peine qu'à se glisser dans le lit de Gilbert.

Un instant l'idée lui devient presque physiquement présente de Marie-Christine sur l'image, de Marie-Christine dans les bras de Gilbert, et il lui échappe un gémissement, et elle se plie en deux, les bras croisés sur cette douleur au plexus, que seul l'alcool apaise.

Non. Se ressaisir. Elle enfile ce vieux pull-over distendu dans lequel Gilbert l'a amenée. Elle avait mis n'importe quoi, assommée par la bière et le gin avalés en hâte, dans la cuisine, pour se donner du courage, — le courage d'y entrer encore une fois, la troisième, à la clinique... Et maintenant elle aurait volontiers bu quelque chose pour se donner le courage d'en sortir.

De toute façon on ne peut pas la retenir de force. Elle est là de son plein gré. Voilà. Elle est habillée. Elle se regarde dans la glace. Visage marqué, ravagé, d'une femme qui a été belle. Des yeux trop larges, trop sombres, des boucles désordonnées, une bouche généreuse, une sorte de désespoir chaleureux : putain retirée ou reproduction d'un masque grec? Difficile de faire de ce visage la tête normale d'une femme de député centre gauche, fille d'un chirurgien célèbre, membre de l'Institut. On va essayer tout de même.

Manteau léger, beige. Ascenseur. Infirmière dans l'ascenseur qui ne la connaît pas. Bien.

Douceur de l'indifférence, de ce regard qui glisse sans se poser. Signer la décharge. Elle enverra prendre ses affaires, mais oui. Son cœur bat. Que vont-*ils* faire? Mais *ils* n'auront pas prévu. *Ils* ne prévoient jamais rien que ce qu'*ils* auraient pu faire, eux.

— Attendez au moins le docteur Lévy, madame! Il sera là dans une heure.

— Je suis bien libre, non?

— Voyons, mais bien entendu, madame Lefèvre! Seulement ce serait plus correct... pour le bon ordre de la clinique...

— Je ne suis pas chargée du bon ordre de la clinique.

Pour une fois, le ton « bon genre » de sa famille, le ton des Gendron, la sert. On n'ose protester. Seulement l'infirmière-chef, venimeuse :

— A bientôt, madame.

Quelle salope!

— Taxi!

Il y a une station juste devant la clinique des Bleuets, heureusement.

— Chauffeur, mettez-moi au centre de la ville.

Jeannette a dit « chauffeur » parce qu'on dit « chauffeur » dans sa famille. Elle n'a pas l'intention de le vexer, cet homme qui se met à marmonner des choses désobligeantes. Si ça allait lui porter malheur? Sortie de la clinique elle est exposée de nouveau à tous les doutes, à toutes les craintes. Exposée, nue. La peur. Peur de retourner à son appartement : s'ils l'y attendaient déjà, pour la neutraliser? Buckerman, le conseiller numéro 1 de Gilbert, Jalabert l'économiste, Claude Ferrand, relations publiques... Peut-être même Marie-Christine... Ils tiennent bien la bonne par la carte de séjour de son fils, qu'elle attend. Ils seraient capables... De quoi? Allons. Pas de cinéma, Jeannette. Tu es sobre, là, tout à fait désintoxiquée. Les fantasmes ont disparu, ont dû disparaître. On n'assassine pas, pour cause d'alcoolisme, de mini-scandale et de stérilité, la femme du député-maire de la ville. On ne la chloroforme même pas, du moins au sens propre. On lui explique. On l'enrobe d'arguments spécieux, on la culpabilise, on l'attire à gauche, à droite. Le chiffon rouge s'agite, elle se précipite avec un aveugle courage de taureau, de femme, et se cogne la tête au mur. Pas de sang, pas de pittoresque : on n'en est plus à Montherlant. Des hématomes seulement, qu'elle s'est faits toute seule.

A-t-elle gémi? Le chauffeur tourne un peu la tête.

— Ça ne va pas?

Malgré l'odeur d'ail et de tabac refroidi qui l'accompagne, cette ombre de pitié lui fait du bien.

— Ulcère à l'estomac, dit-elle brièvement, c'est plus simple.

— Ah! l'estomac! Ma belle-sœur...

Il parle, il cite des exemples, des remèdes. Il parle jusqu'au centre ville. Douceur de cet échange banal. Sans doute, si Jeannette disait au chauffeur : « Mon mari me trompe, il songe à divorcer pour une femme plus jeune, plus belle », découvrirait-il dans sa mémoire une tante, une belle-mère, à qui semblable malheur advint. En serait-elle soulagée? Et des femmes qui noient leur malheur dans l'alcool, il doit en connaître aussi, pense-t-elle amèrement.

Centre ville, zone piétonnière. Comme Mireille n'a pas pu, sous peine d'attirer l'attention, lui apporter des vêtements décents, et comme elle n'ose pas repasser à l'appartement, il va falloir acheter un tailleur, un chemisier, des escarpins. La dépense ne sera pas perdue, a dit Mireille, puisqu'il y aura, après l'inauguration, ces diverses occasions de se montrer avec Gilbert. Boutiques. Adieu, chauffeur compatissant. « Croyez-moi, crie-t-il en démarrant, le charbon! Pour l'estomac, il n'y a que le charbon! » Bonté de cet homme. Pour un peu elle en pleurerait. Elle est tellement assoiffée de bonté.

Mais il ne s'agit pas de cela. Il s'agit d'habiller la femme du député-maire en femme de député-maire. Elle n'a pas prêté assez d'attention à ces choses. Qui sait? Tout le mal vient peut-être des petits détails? S'habiller un peu, perdre quelques kilos, changer de coiffure; un lifting? ce serait trop beau. Parfois elle arrive à y croire. Naturellement, elle y croit davantage quand elle a bu.

Elle marche. Il fait déjà chaud. L'été 78. Elle aura quarante-quatre ans dans quinze jours. Dans l'opacité noire des vitrines elle guette sa silhouette. Elle sait qu'elle fait plus que son âge. Enfin, le bon côté de la cure c'est qu'elle a perdu ces cinq kilos. Pas une nymphe pour autant, mais enfin, plus présentable. S'il n'y avait pas ce visage, ce terrible visage nu, ces yeux trop noirs qui brûlent toujours, ces cernes, ce garde-fou intérieur qui lui manque et cela se sent. Même le sourire trop chaleureux de sa grande bouche la met en danger... Avec la jeunesse, un velouté de la peau s'est perdu, qui atténuait cette espèce de force excessive, d'élan sans emploi. Qu'est-ce qu'on peut faire de ce visage? Il faudra qu'elle achète aussi du maquillage. Un bon fond de teint, peut-être? Avec une humble fierté, elle s'encourage : *je fais plus que mon âge, d'accord, mais j'ai de la classe.* Elle entre chez Amanda Modes, modèles de Féraud et de Saint-Laurent. Elle y a déjà acheté quelques jupes, au printemps.

— Je voudrais un tailleur d'après-midi, pour l'inauguration de la maison de la culture.

Pourquoi est-elle allée dire ça? Qu'est-ce qu'elle cherche, qu'on la reconnaisse, qu'on lui rende son identité? Et en effet, la vendeuse, aussitôt :

— Oh! excusez-moi, madame Lefèvre, je ne vous avais pas reconnue! Mais comme vous vous y prenez tard, c'est tellement dommage, on aurait pu... J'avais de tout nouveaux modèles, ils sont partis en une semaine...

Elle invente n'importe quoi, qu'elle pensait aller à Paris, rapporter son ensemble Dior. Mais pourquoi est-ce que je me trouve toujours en situation de me justifier, toujours obligée de m'excuser de tout...

— Mais bien sûr on va trouver quelque chose, très classique sans doute, c'est cela, si vous voulez bien prendre la peine...

Ironique, cet empressement? Non, on est en province, les gens sont moins cruels qu'à Paris. Pourquoi « très classique sans doute »? Parce que je fais cinquante ans? Mais non, ne tombons pas dans le délire d'interprétation. Parce que je suis Mme Lefèvre, la femme du député-maire, et que tout ce que je vais faire ou dire, et même la façon dont je vais m'habiller, est codifié d'avance, programmé par cet ordinateur invisible qui a fait de moi, justement, cette Mme Lefèvre... La seule chose qu'il n'avait pas prévue, l'ordinateur, c'est le désespoir, l'amour, l'alcool... Tout petit imprévu dérisoire. Un petit verre de liberté; avec un glaçon, madame Lefèvre?

— Si vous voulez passer dans la cabine d'essayage, madame?

Tailleur chiné gris, léger, mais sévère. Elle se regarde dans la glace. De la classe, moi? Une femme de ménage espagnole, épaissie, épuisée, avec huit gosses et des centaines de parquets frottés derrière elle.

— Je le prends. Je vais le garder, je crois qu'il va parfaitement, non?

Elle ne va pas lui dire le contraire, la vendeuse.

— Un chemisier crème? Ou alors nous avons un très joli mauve?

— Ça ne fait pas un peu demi-deuil?

— Oh! non, madame, ça se porte beaucoup.

A son âge, avec son standing, ça se porte beaucoup. Et qu'est-ce que tu voudrais, t'habiller en rose bonbon? Chaussures, maintenant. Elle aura mal aux pieds tout l'après-midi, elle le sait, même si elle prend une pointure au-dessus. Elle ne supporte pas les talons. Mais avec ses vieux souliers en daim, avachis, et le tailleur neuf, elle a une de ces dégaines! Pas possible. Il s'agit de montrer à Gilbert, et à son équipe, qu'elle est capable de tenir son rôle. Plus : de croire à son rôle. Il le faut, il le faut. Effacer tout ce que j'ai dit à Gilbert, tout ce que je n'ai pas dit à Gilbert. Comprendre. Plus : adhérer. Au sens total. L'adhésion de Nizan. Le oui de Fénelon. Mais un parti, une Église, n'est pas un homme. A travers le parti l'idée, à travers l'Église la transcendance. A travers l'homme... A travers l'homme, l'amour, bien sûr.

Tu n'es pas un peu folle d'évoquer Nizan et Fénelon à propos d'une paire d'escarpins?

— Je vais les prendre en lézard, mademoiselle. C'est une petite folie, mais... Sourire complice de la vendeuse. Tant que le mot folie ne s'applique qu'à du lézard...

Il y a des tentes rayées, une foule multicolore, un bâtiment tout neuf en forme de bulle énorme, une odeur de berlingot. Il y a aussi des voix anonymes, géantes, qui sortent des haut-parleurs, un chanteur qui répète dans le théâtre de verdure, un stand du Patrimoine, un stand de l'Éducation, un stand des Produits

locaux, de la Propagande, de l'Écologie, il y a
des écrivains locaux qui « signeront leurs
œuvres entre seize et dix-sept heures dans
l'allée centrale », il y a des enfants perdus et
retrouvés, des badauds qui se gavent de paroles, de substances chimiques poisseuses et
ramassent des prospectus gratuits parce qu'ils
sont gratuits. Il y a tout ce qu'on pouvait
prévoir, tout ce qui doit constituer une foule et
une fête. Il y a ou il y aura, à un moment donné,
l'arrivée de Gilbert « dans l'exercice de ses
fonctions », suivi de l'armée des costumes
bleus et gris, des cravates marron et bordeaux,
des attachés-case et des lunettes classiques,
armée pacifique et effrayante dont l'arme est
le stylo-bille. Et il y aura quelqu'un qui, bien
que ce soit démodé, parlera du « sens de la
fête », notion devenue officielle.

  Gilbert Lefèvre, député-maire d'A., est
attendu dans le petit bâtiment provisoire qui
sert de quartier général au comité d'organisation ou comité des fêtes. C'est la même chose.
Une fête ça s'organise. On téléphone, on s'affaire, on s'affole, le représentant du gouvernement n'est pas arrivé au Lion d'Or où on
l'attend, les invitations pour le souper qui doit
suivre l'inauguration n'ont pas toutes été
envoyées, et le vin d'honneur, comment limiter
les participants, les cartes d'invitation? mais

tout le monde en a; il y aurait une coupure d'électricité, les portes de verre de la Bulle qui doivent tout à l'heure s'ouvrir solennellement seraient bloquées, c'est vrai, ce n'est pas vrai, c'est inadmissible, c'est arrangé, l'exposition de dessins d'enfants (charmante initiative des enseignants, avec laquelle tout le monde avait semblé d'accord) se heurte maintenant à l'hostilité d'un groupe de peintres locaux qui... Les « parisiens » de l'équipe et les membres du conseil municipal échangent des propos sans aménité. On a œuvré pour la ville, sans souci de politique politicienne, et d'autres tirent la couverture à eux. Mais qui a couru les ministères, obtenu des subventions, triomphé de tous les obstacles pour qu'enfin se dresse triomphante, la Bulle, la maison de la culture qui va tant apporter à A.? Et voilà Gilbert. Tout s'apaise et s'organise. Gilbert radieux, mal accoutré, gauche, empêtré dans sa propre force, cordial, mettant les pieds dans le plat dix fois à la minute sans offenser personne, donnant l'impression de parler à tous, parfait. Parfait, pense Claude Ferrand, le publiciste. Il a eu un peu de mal, quand il a commencé à travailler pour Gilbert, à lui trouver une image. Gilbert, avec ses larges épaules (mais il n'est pas très grand), ses traits « taillés à la hache » ou « à la serpe » (la presse), a toujours l'air mal habillé. Ses cols de chemise l'étouffent et, parle-t-il plus d'une demi-heure, le voilà obligé de défaire le bouton du haut. Ses manches ont toujours l'air trop courtes. Il tire sur ses manchettes. Sa voix est un peu sourde. Il parle lentement, avec une trace d'accent du Nord.

Ferrand a tâtonné d'abord, essayé un costume genre sport, puis le trois-pièces du technocrate, mais non. Ça tombait bizarrement sur Gilbert. Il est trapu, les jambes un peu courtes par rapport au torse développé, il donne une impression de force ramassée, contenue. Alors Ferrand a décidé d'exploiter carrément ses tics, le bouton défait, les manchettes. Avec des costumes qui font confection, qui évoquent la Samar, le bodygraph, l'effort infructueux mais sincère vers le bon ton de l'homme qui s'est fait tout seul. Gilbert ne s'aperçoit de rien, de toute façon. Il met le veston qu'on lui tend. Et il a toujours la tentation de défaire son bouton de col. D'un regard, Ferrand l'arrête une fois sur deux. L'effet est encore plus sûr. En Amérique on ferait une carrière sur ce bouton de col! En France, évidemment, ce n'est qu'un apport. Mais non négligeable. Gilbert s'indigne, à la tribune ou à la télévision (il est meilleur en gros plan, parce qu'il transpire juste ce qu'il faut), il rougit légèrement, sa main se porte vers le bouton de col puis retombe. Il est visiblement outré par la mauvaise foi de son interlocuteur (mouvement instinctif de la main vers le col) mais il se maîtrise : il a conscience du respect qu'il doit au spectateur. La main, grande, large, presque grossière, se pose sur le bord de la table, ou de la tribune. Il assommerait un bœuf, s'il voulait. Mais il se contrôle : sa voix reste sourde, avec une vibration plus profonde. A la télévision, Gilbert est de plus en plus demandé, pour les débats. Claude Ferrand est très content. Mireille Granelli est très contente. Marie-Christine est très contente. Et on ne voit pas pourquoi Jeannette ne serait pas contente elle aussi. Tout le monde s'accorde à dire que Gilbert est très aimé.

Qui est donc Gilbert Lefèvre, quarante ans, né à Aubigny, dans le Nord. Professeur d'histoire pendant quelques années au lycée XXX à Paris, il a épousé Jeannette Gendron (trois ou quatre ans de plus que lui mais fille du professeur Gendron, de l'Institut) et commencé une carrière politique un peu longue à démarrer, qui prend maintenant un tour prometteur. On le dit intègre, on le croit lent, mais solide. Il vient de réaliser son rêve, doter A., la ville la plus proche d'Aubigny, d'une maison de la culture. Cette réussite confirme ses proches dans l'idée que, lentement mais sûrement, Gilbert va où il veut et sait où il va.

Gilbert a neuf ans. On lui donne un livre. C'est un livre d'images, avec peu de texte, plutôt destiné aux petites filles : l'héroïne en est une fillette aux grosses joues rouges, au tablier bleu, qui fait une promenade dans la campagne. Les dessins représentent le chemin que suit cette petite fille — elle s'appelle Magali — entre des coteaux verdoyants, des prés constellés de fleurs, des vergers chargés de fruits. Magali n'a d'autre aventure, dans le souvenir de Gilbert, que de marcher sur ce chemin qui traverse les quatre saisons et les lui fait découvrir. Gilbert est allé en vacances chez son grand-père, artisan ébéniste à Dampierre. Mais il n'a vu que la campagne était belle qu'à travers le livre : par les yeux de Magali, qui n'existe pas.

Gilbert est dans la classe de son oncle, instituteur à Aubigny. Un crève-la-faim, dit le père de Gilbert qui est boucher et a fait sa pelote. Mais l'oncle Fred détient le savoir. L'oncle a le pouvoir de faire passer d'une classe à l'autre et d'envoyer au lycée et de recommander pour des bourses les bons élèves. Gilbert est un bon élève. Son père hoche la tête. Il ne sait trop quoi en penser. Flatté, d'un sens. D'un autre côté un peu offusqué que le fils ne continue pas « dans la viande ». Bien que Gilbert ne manifeste ni répulsion ni mépris pour le métier de boucher, le père voit là une sensiblerie, le refus d'une fonction qu'il est fier d'assumer, de quelque chose d'essentiel qu'il exprime grossièrement en disant « le reste peut passer, on mangera toujours ».

Un jour de discussion, dans l'arrière-cour (il y a toujours une vague odeur de sang, malgré la lance d'arrosage) : « — Enfin, les livres, ce n'est pas la vie! — Et ça, c'est la vie? » répond Gilbert du tac au tac en montrant les carcasses que le commis décharge. Mais après, comme il est de bonne foi, et n'a aucun plaisir à voir son père rester tout bête, il se dit que oui, ces carcasses, et même le sursaut dernier de la bête, le très bref beuglement sous la masse — à Aubigny on tue encore à l'ancienne — et le cochon saigné et le lapin auquel la grand-mère arrache l'œil, c'est aussi la vie. C'est la vie parce que c'est la mort. La mémé le sait bien : si elle prend plaisir à tuer le lapin, ce n'est pas par cruauté, c'est pour sentir encore un peu dans ses vieux os, sa vieille chair toute sèche, qu'elle, elle vit.

Bon. Gilbert ira au lycée tout de même. Ce n'est pas « la vie » comme l'entend son père, mais c'est une autre vie. Qu'il a appris à connaître et à respecter. Une vie tellement vaste qu'elle donne le vertige. Comme il aime bien son père, il souffre de sentir le fossé qui s'élargit insensiblement : « C'est comme si tu étais le fils de Fred. » Mais non, Gilbert voudrait partager, un peu, ses découvertes, mais le père : « Apprendre, apprendre, ça mène à quoi? On élève, on nourrit, on abat, on dépèce. Quand on sait ça on en sait assez. » Et combien de gens qui ne sont pas bouchers raisonnent comme cela! pense Gilbert, à quinze ans. On naît, on grandit, on enfante, on meurt. Comme des bêtes. Et quand un fils de boucher dit : comme des bêtes, il sait de quoi il parle. Le sang, la viande, le cri. Il sait.

Parfois, pendant les années d'efforts, les bourses, Paris, la chambre de bonne, le restaurant universitaire, les trois sous qui manquent pour le cinéma même le meilleur marché, les conversations devant un demi avec des camarades jamais las d'analyser, de dénoncer, de bâtir avec des mots, parfois une angoisse. Professeur. Enseigner. Oui. Il se sent une vocation, plus que beaucoup de ses camarades, et justement parce que moins naturellement initié, au départ, à l'univers des mots, de l'écriture. Une vocation, parce que les mots l'ont aidé à s'échapper. Lui sait à quoi ils servent, les mots, les livres, les dates, les histoires et l'Histoire : à sortir du cycle terrible et calme, élever, nourrir, abattre, dépecer. Ce n'est pas dans les cabinets d'avocats, les salles d'attente de médecins, les ateliers d'ingénieurs, d'où viennent la plupart de ses camarades, qu'on touche cela du doigt. Eux, quand ils veulent dire la vie bête, la vie dont ils ne veulent pas, ils disent : la vie bourgeoise. Mais Gilbert sait que c'est la vie tout court qu'il faut dompter, comme un cheval qu'on force à faire des tours. Il essaie de *dire* : et les autres d'approuver, « mais oui, mais oui », car ses mots valent bien les leurs. Mais lui, s'il dit cheval, c'est dans les muscles de ses cuisses qu'il sent le cheval se débattre. Lui, il sait que quels que soient les courbettes ou le chemin parcouru ou le labour de vingt années, le cheval, la bête, avec ses poils, son odeur, sa sueur d'angoisse et ses yeux de femme, la bête qui fut vitesse, image, beauté, finira dans l'arrière-cour qu'aucun jet d'eau ne peut laver.

Du moins en aura-t-elle parcouru, du chemin! Quand il pense cela, Gilbert redresse sa carrure de fils de boucher, sa carrure de déménageur, il a un sourire radieux, ses yeux vert de mer s'éclairent, il est beau, il est courageux, il entrera, plus tard, à Normale Sup comme il passerait sous l'Arc de Triomphe. A cheval.

Mais tout de même, ce ne sera pas un vrai cheval. D'ailleurs, un vrai cheval, à Normale Sup... Et parfois dans la griserie et même l'exaltation de Paris, des études, de la conquête de l'avenir sous la lampe, de ces rencontres éclatantes, camarades qui comprennent son langage, professeurs géniaux qui passent comme des météores, parfois une bouffée de nostalgie, un regret lancinant, physique comme le regret d'une femme aimée, de son odeur, de la vaste cuisine religieusement dédiée à la mangeaille, du « han » rauque du père tombant sur sa chaise après la rude journée, du lent mouvement des mâchoires qui mangent comme on parle des mots impor-tants, et même des bals sauvages, des bagarres à demi sérieuses, à demi sensuelles, des filles frisottées au rire frais et au regard méfiant, tendues dans le souci de ne pas se laisser « prendre » au piège de l'amour et de l'enfant qui sont la fin de la jeunesse.

Lui aussi a eu ce souci. Car père et mère espèrent à chaque vacance qu'il se laissera aller à *fréquenter* à Aubigny et qu'il leur reviendra. Mais d'examen en examen, l'espoir s'amenuise. Gilbert cache l'attrait coupable que cette vie lente et sans paroles lui inspire encore, la détente de son grand corps, de son esprit surmené, et qui ne se marque que par l'accent revenu, cet accent du Nord qui mâche chaque mot, le tourne et le retourne sur la langue comme une pâte de fruit, l'accepte enfin et le digère comme chaque instant de la journée, plein de suc et d'insignifiance.

On ne le croirait pas, de ce bûcheur obstiné, de cette bête à concours, mais à vingt ans, vingt-deux ans, Aubigny le tente toujours, inexplicablement. De plus en plus souvent, un malaise le gagne de ne pouvoir, tout de suite, utiliser ses connaissances neuves pour tirer le bourg (ses ambitions se limitent pour l'instant à Aubigny) de sa somnolence. Un hasard, une rencontre, les conséquences de la guerre d'Algérie, il s'inscrit en 59 au P.S.A., passe au P.S.U. Ce n'est pas encore un militant bien ardent, mais dans les réunions de section, les salles poussiéreuses où l'on se retrouve, les interventions, les polycopiés et les rapports pour lesquels il se porte de plus en plus souvent volontaire, il puise un espoir tout neuf. Cette autre scolarité (il a tout à apprendre), cette autre camaraderie lui paraissent « en prise directe » sur la réalité. Et la guerre est là. Et le sang coule, fils de boucher. Et il s'indigne et manifeste, *en connaissance de cause*. Science et conscience ne forment qu'un, pendant qu'il porte les banderoles, en tête comme d'habitude à cause de sa puissante stature, sur le boulevard Saint-Michel.

Et marchant à ses côtés, et belle, et sculpturale, et fulgurante de passion chaste, et chargée, comme une sultane de bijoux, de trop de cheveux sombres, longs et bouclés, d'yeux noirs brûlants et de seins glorieux, Jeannette Gendron, fille du professeur Gendron, étudiante en lettres modernes, qu'il ne connaît pas encore et qui sera sa maîtresse huit jours plus tard.

— Il faudra appeler le Lion d'Or et rajouter au moins quinze couverts pour le souper, dit Marie-Christine Caillaud à Mireille, de cette voix impersonnelle dont elle use toujours avec la secrétaire de Gilbert. C'est la seule manifestation d'hostilité qu'elle se permette.

— Et les cartons?

— Nous les ferons ensemble au dernier moment, quand M. Ferrand sera sûr de sa liste.

— Quand je pense qu'on ne sait même pas qui accompagnera M. Saint-Julien.

— M. *de* Saint-Julien, rectifie Marie-Christine patiemment, et soucieuse de prouver sa neutralité, elle ajoute : — Ce que j'en dis, c'est pour les cartons.

Mireille ne répond pas. Elle la hait en silence, paisiblement. Au milieu de l'agitation qui les entoure (Gilbert vient de sortir pour accueillir l'architecte, le maître d'œuvre, responsable de la Bulle), sa haine lui est une oasis, une eau fraîche où elle se désaltère. Elle déteste tout en Marie-Christine : ses vingt-huit ans sveltes et d'une élégance réfléchie; ses beaux, longs yeux gris; sa voix douce et froide; ses cheveux de vraie blonde touchés d'un reflet d'argent, coiffés en catogan sage. L'absence même d'une haine qui répondrait à la sienne. Mais patience, pense Mireille, si sûre d'elle qu'elle soit, Marie-Christine pourrait bien éprouver un choc, tout à l'heure, quand elle verra arriver Jeannette, la légitime Mme Lefèvre, sobre et décemment vêtue, au moment des discours et des flashes. Pourvu, évidemment, que Jeannette *soit* sobre et décemment vêtue!

— Quelle chance, ce beau temps! dit Jalabert, avec l'aimable insignifiance qu'il cultive.

— Toute la ville est là. C'est une réussite complète, dit Buckerman avec répulsion.

— Une apothéose! dit Claude Ferrand.

C'est le seul de l'équipe, du *staff*, comme il dit, qui se permette l'enthousiasme et la vulgarité. Il a sûrement ses raisons. Sa corpulence, un reste d'accent méridional, un débraillé calculé dans sa tenue — tombant volontiers la veste, le ventre épanoui à faire péter la chemise, rassurant pour le brave Français moyen qui se demande s'il doit renoncer au Pernod et se mettre à la gymnastique —, tout son personnage fait à Claude Ferrand une réputation de bonhomie. Comme il est, aussi, intelligent, ceux qui le connaissent le disent hypocrite. Ce n'est pas non plus tout à fait vrai. Buckerman, d'une élégance anglaise (mais d'un anglais qui serait un peu juif : Disraeli), a l'air de ce qu'il est : un homme fin et sensible, qui s'est réfugié entre les paragraphes du Code pénal, par pudeur, et qui le regrette. Jalabert ressemble à son costume : on ne peut vraiment rien en dire sinon qu'il est parfaitement approprié à la circonstance.

Ils sortent du baraquement.

— Ça peut plaire ou ne pas plaire, dit Ferrand en contemplant la Bulle qui scintille de ses aciers et de ses vitres, au bout de l'esplanade encombrée, mais ça a de la gueule, on ne peut pas dire.

— Beaucoup de classe, dit Jalabert.

— Évidemment, ce n'est pas le Parthénon, dit Buckerman, mais il faut reconnaître qu'il y a là tout de même une certaine logique architecturale...

— N'est-ce pas? s'écrie Gilbert qui revient vers eux, se frayant un chemin au milieu de la foule à laquelle il distribue des poignées de main et des « A tout à l'heure » sincères. Et vous voyez les possibilités pour la région : expositions régionales, matinées classiques, concerts... Marie-Christine, bravo pour l'organisation des stands! Ces braves dames sont ravies, et ça ne coûte pas un sou à la municipalité. Vous avez fait là un travail... considérable!

Murmure approbateur autour de lui. Qui approuve autre chose encore que l'organisation des stands. Marie-Christine s'en rend compte, elle sourit, d'un sourire rare et charmant. Gilbert qui est tout à sa Bulle ajoute avec la brutale innocence des hommes d'action : «Quel dommage que Jeannette ne soit pas là! »

Il a complètement oublié leur dernière dispute :

« — Les gens n'ont aucune envie d'une maison de la culture! — Comment! Mais il y a cinq ans que le conseil municipal... — Le conseil municipal! Des gens qui vont tous les week-ends à Paris! — Que *le Clairon* me réclame... (C'est le journal local.) — Un journal gouvernemental! — Justement. Pour une fois que tout le monde est d'accord... — Et tu ne trouves pas ça suspect? »

Il s'est demandé si elle avait encore bu. Elle n'en a pas l'air, mais enfin l'argument est tellement stupide!

« — Écoute, ma chérie, du moment que le résultat, le ré-sul-tat est bon... — Oui! Inutile de répéter! Je ne suis pas idiote! — ... est bon, les moyens importent peu. A. a besoin d'une maison de la culture! C'est un instrument de progrès social, un moyen de retenir les jeunes, qui ne connaissent que les bals et les films pornos, et on fait un très gros effort sur les prix, la qualité des programmes, tu n'imagines pas à quel point c'est difficile à équilibrer! Mais pour commencer la saison on aura le Bolchoï, et puis un Marivaux, et... — Et ça va empêcher les jeunes d'aller voir les films pornos, Marivaux? — Tu es de mauvaise foi. Dieu sait que je n'ai pas que des amis au ministère, et pourtant... »

Elle s'est mise à chanter :

> Et tout ça, ça fait
> D'excellents Français...

Alors il a vu qu'effectivement elle avait déjà bu, et d'une certaine façon, ça l'a rassuré.

Un fils de boucher, épouser la fille unique du professeur Gendron, pensez donc! Gilbert a fait ce qu'on appelle communément un beau mariage. Gilbert n'avait pourtant pas fait d'études de médecine. Et on n'est pas très riche chez les Gendron de la rue de Varenne (il y a une branche « avenue Foch » beaucoup mieux pourvue) : en dehors du vieil appartement qui comporte deux salons mais une seule salle de bains vétuste, de quelques meubles de famille auxquels les Gendron attribuent beaucoup plus de valeur qu'ils n'en ont, de mauvais tableaux, de sculptures animalières (cadeaux de malades reconnaissants, pour la plupart) et d'un portefeuille d'actions mal géré, il n'y a là rien qui puisse susciter la convoitise d'un jeune homme ambitieux. Gilbert n'a nullement épousé Jeannette pour son argent. Ni pour les relations des Gendron dont il ne mesure pas à cette époque l'utilité. Ni pour l'intelligence de Jeannette qui est réelle, ni pour son bon cœur, ni même, comme on dit, pour ses beaux yeux. Il l'a épousée parce qu'elle avait de gros seins.

Ces seins triomphants sous le pull de cachemire beige l'avaient ébloui dès le premier jour, celui où il l'avait rencontrée dans une manif, quand il tenait la banderole. Il sortait de quatre ans d'efforts concentrés, de lutte pour et contre lui-même; le militantisme avait amorcé une sorte de réconciliation entre Gilbert mangeur de papier et Gilbert mangeur de viande. Jeannette fut en un instant le symbole de cette réconciliation. Ardente et ignorante, Jeannette. Élevée à Sainte-Bernadette, reçue, en fin de semaine, comme une invitée fatigante par un père misogyne et une mère professionnellement écrasée (comme il y a des chiens écrasés); éclatante de sensualité candide malgré les pulls ras-du-cou beige ou marine, les manteaux en poil de chameau et les talons plats; révoltée comme peut l'être une vierge de bonne famille, au grand cœur, et qui ne voit autour d'elle que des bourgeois fauchés, les pires; enthousiaste comme une élève de bonnes sœurs extrêmement peu progressistes, qui transformaient le pain en roses et le spirituel en merveilleux; et belle, de la beauté déjà condamnée de celles qui ne se donnent qu'une fois, et totalement.

Elle est mystique, gauchiste, instruite, naïve. Et elle a quatre-vingt-dix centimètres de tour de poitrine. Comprend-on l'éblouissement de Gilbert? Le jour de la banderole il l'emmène manger dans une crêperie. Elle lui demande ce qu'il en pense : doit-elle s'inscrire au P.C.? Il essaie de ne pas baisser les yeux sur son pull. Il est bouleversé. Ces seins avec lesquels on peut converser, c'est la réconciliation, la promesse d'un monde harmonieux enfin, dans lequel on lit le journal en mangeant son steak au lieu de l'y envelopper. C'est l'abondance du monde soudain révélée; la générosité, cette abstraction, se pourrait exprimer aussi en centimètres. Ces seins magnifiques, c'est l'espoir de revenir à Aubigny non en étranger, mais en fils, mais en frère qui rapporte des cadeaux; ils sont une promesse, un défi, une révolution, et peut-être même, *la* révolution.

Jeannette ayant des idées de gauche et du tempérament (vierge à vingt-quatre ans) si le père de Gilbert était fraiseur chez Renault, elle se donnerait tout de suite. Comme Gilbert lui dit avec pudeur que son papa est « commerçant », elle attendra huit jours. Elle ne peut pas faire plus. Elle a été frappée du coup de foudre. Le vrai, celui qui tue, même si ça ne se voit pas.

Elle ne s'en doute pas. Ni lui. Ils s'aiment, ça, oui, et c'est naturel. Analyserait-on leur vocabulaire, leur langage profond, qu'on verrait déjà que la notion de naturel n'est pas tout à fait la même chez Gilbert et chez Jeannette. Ni celle de bonheur. Gilbert est heureux. Jean-

nette est comblée. Gilbert, dorénavant, avec sa
« fiancée » qu'il épousera un jour, les examens
qu'il passe, les leçons qu'il donne et la petite
importance qu'il prend dans sa section du
cinquième arrondissement, remplit toutes les
conditions requises pour aller vers le bonheur.
C'est la sanction de ses efforts, une chance,
certes, mais une chance qu'il a méritée dans le
passé et qu'il défendra dans l'avenir.

Jeannette n'a pas d'avenir. Elle est l'objet
d'un miracle qui d'ailleurs ne la surprend pas.
L'amour, l'admiration, la sensualité, l'ardeur
idéologique, Dieu, l'Histoire, la Cinémathèque
et les petits restaurants chinois bon marché,
tout lui est donné à la fois avec Gilbert.
N'oublions pas son éducation à Sainte-Bernadette : la petite Thérèse et ses roses, la femme
de *la Légende dorée* sauvée de la damnation
pour un oignon donné à un mendiant, tout ce
merveilleux un peu niais du XIXe siècle, les
agneaux de sucre, les rubans de couleurs aux
fillettes méritantes, l'autre sexe dont il fallait
bien, hélas, admettre qu'il existait puisque
Dieu l'avait créé mais dont il valait mieux ne
s'approcher que le plus tard possible, à moins
que l'ange gardien ne fît un miracle et ne
changeât soudain le crapaud en prince charmant. Jeannette a entendu ces contes bleus
comme il fallait, comme une berceuse pour

enfants, à laquelle on feint gentiment de croire quand bien même on en a passé l'âge. Mais tout de même, quand on ne sort de là que pour aller chez les Gendron... Sa mère, voyant qu'elle était devenue belle, se demandait « de qui elle pouvait bien tenir ça » en soupirant, et le grand chirurgien, informé de son souhait de faire des études, déclarait : « Qu'elle fasse des lettres, ça ne sert à rien... » On attendrait un miracle à moins.

Avant de rencontrer Gilbert, Jeannette a rencontré le siècle. Du moins le croit-elle, le voyant comme on lui a appris à voir, en blanc et noir, marelle avec enfer et paradis qu'on gagne en sautillant sur un pied. Elle s'applique. Elle lit des journaux, croit en l'Église nouvelle; petite fille, les missionnaires l'attiraient, mais c'est paternaliste au fond, alors elle découvre le prêtre-ouvrier et en fait son héros, et elle s'inscrit au P.S.U. et elle ronéotype, va à des réunions de section et le lendemain à la messe, lit *Esprit* et dit « authentique ». Pour les Gendron il est évident qu'une fille qui dit « authentique » et n'a pas consenti à se laisser marier au premier venu doit « mal tourner ». Aussi quand ils apprennent l'existence de Gilbert se disent-ils comme leur fille mais dans un tout autre esprit que « ça devait arriver ».

D'une personne qui se laisse griser par une bonne fortune inattendue, on dit vulgairement qu'elle croit que *c'est arrivé*. Jeannette croit, pendant les deux ans qui aboutiront à son mariage en blanc à Saint-Sulpice, que « c'est arrivé ». Gilbert, lui, se dit que ça lui est arrivé. Nuance perçue par le grand chirurgien qui, bien que ne donnant pas à sa fille un sou de dot, consent tout de même à se rendre au mariage et à l'honorer de sa présence. On ne sait jamais.

Jeannette a fait mettre ses vêtements défraîchis dans un sac, elle a pris à la Brasserie du Centre un croque-monsieur et un café, elle traîne. Appréhension bien naturelle. C'est vrai que ça n'allait pas fort entre elle et Gilbert ces derniers temps, mais c'est tout simple à rattraper. Montrer un peu de bonne volonté, de volonté. Cesser de boire, naturellement, toujours ces naturellement, ce naturel qui vient aux lèvres de tout le monde, comme si c'était naturel de cesser d'aimer ou même d'aimer moins ou même d'aimer autrement quand, une fois, on a aimé. S'arranger un peu, vêtement, coiffure, lifting peut-être : mais j'ai déjà pensé cela il y a une demi-heure, je me suis déjà répété cette litanie, cesser de boire, maigrir un

peu changer de coiffure maigrir un peu se
maquiller lifting peut-être... Elle se regarde
dans la vitre de la Brasserie. Bien entendu, elle
fait meilleur effet que ce matin. Elle peut
entrer dans la Bulle, même sans invitation. On
ne la refoulera pas. Entrer dans la Bulle. Drôle
comme tout le monde s'est mis à appeler « la
Bulle » l'édifice auquel Gilbert attache tant
d'importance. Un symbole? Quand on est malheureux, on voit des indices dans tous les
mots... Cela fait bien deux ans — depuis que
Marie-Christine est sa maîtresse, et qu'il
ramène à la maison cet air plus inquiet que
coupable — que Jeannette lit son horoscope.
Dans *France-Soir*, dans *Marie-Claire*... Quand
c'est favorable, ça la rassérène un peu. Ça lui
rend l'espoir qu'elle arrivera à la faire éclater,
cette bulle, oui, qui n'a l'air de rien, cette bulle
transparente et invisible qui s'est refermée
autour de l'homme qu'elle aime et qui l'isole.
Mais voyons, il te trompe et voilà tout, avec une
Marie-Christine de vingt-huit ans, svelte ama-
zone au regard gris, aux cheveux blond cendré,
toute couverte de ce scintillement argenté qui
fait peur et plaisir, une goutte d'eau froide
dans le cou, un petit sursaut étonné. Elle est
belle, elle ne l'est déjà plus : ce sont les
sortilèges discrets de Marie-Christine. Pourquoi chercher plus loin? Maigrir un peu,

changer de coiffure, se cramponner, quoi, tenir bon, Mireille. Mireille, Mireille! Mireille n'est pas infaillible! Mireille ne sait pas tout, elle sait les soirées où Gilbert ne rentre pas (« Ils vont prendre un verre au Rouquet », a-t-elle dit et Jeannette les a *vus,* comme si elle y était. La serveuse dit : « Un kir, comme d'habitude? » et chaque kir, chaque soirée, chaque sourire lie davantage Gilbert à Marie-Christine, autant que les étreintes et les baisers qu'ils échangent, où?) mais si Mireille sait cela, dénonce cela, elle ne sait pas les soirs où il rentre, où ils font l'amour. Parce qu'ils font l'amour! Sans qu'elle ait besoin de maquillage, de coiffure, de... Ils font l'amour, Mireille ne le sait pas et sûrement Marie-Christine non plus. Il ne doit pas oser le lui dire. Alors qu'elle, Jeannette, il y a longtemps qu'elle sait, pour Marie-Christine. Le monde renversé!

Elle rit brusquement, tout haut peut-être, car une jeune femme, non loin, plongée dans un riz au lait, relève la tête, la regarde. Non, ce ne peut être cette dame d'âge mûr et d'aspect rassurant (rôle salvateur du tailleur et des escarpins!) qui a émis cette espèce d'aboiement nerveux. Elle a encore envie de rire. Non. Ce ne serait pas raisonnable. Elle va aller à pied, doucement, jusqu'au parc paysager. Excellent pour la ligne, le teint. Dommage que ses souliers lui fassent mal. Mais changer de chaussures en public, non. Elle arrivera vers trois heures, visitera les stands sans se faire remarquer, et en fin d'après-midi, se dirigera vers la Bulle. Elle prendra place aux côtés de Gilbert, écoutera le discours de Gilbert, les autres discours, n'acceptera qu'un jus d'orange, participera au dîner « naturellement » et Gilbert rentrera avec elle, Mme Lefèvre, et Marie-Christine, et l'équipe, tout le monde comprendra que c'est elle qu'aime Gilbert, que c'est elle qui a gagné. Voilà.

Un peu serrée dans le tailleur (il ne va pas *si* bien que ça), un peu transpirante déjà (le soleil de l'après-midi est dur), un peu vacillante sur ses talons trop hauts, elle sort de la cafétéria, laissant derrière elle trop de monnaie (« Tu laisses toujours trop de pourboire. — Pourquoi trop »), elle se dirige vers le parc, vers l'inauguration de la maison de la culture. Il n'y a aucune raison, aucune pour que l'après-midi ne se déroule pas selon ce plan bien simple et infaillible. Aucune. Gilbert ne peut pas la repousser publiquement, devant les officiels. Marie-Christine a toujours affecté la plus extrême politesse envers elle. Jeannette a, comme dit Mireille, le *bon droit* de son côté. Mireille a constamment de ces expressions démodées qui font un drôle d'effet à Jeannette. Elle ne sait pas si elle est si contente que ça

d'avoir le *bon droit* de Mireille, et des sembla-
bles de Mireille, pour elle. Ni même si elle croit
encore tellement au bon droit. Mireille dit
aussi : « J'ai cru de mon devoir de vous aver-
tir... Il songe au divorce... Une honnête femme
doit se défendre... » Les mots! « Une honnête
femme », c'est une notion dont on croirait
qu'elle a disparu, depuis Paul Bourget, Anatole
France... Mireille n'a sûrement jamais lu Paul
Bourget. Et pourtant certains stéréotypes,
l'honnête femme, l'intrigante, le mari égaré
qui doit revenir au bercail, l'homme du peuple
arrivé à la force du poignet, se perpétuent. Le
fait que Jeannette soit par moments « très
fatiguée » (ce qui signifie en langage Mireille
qu'elle boit comme un trou) ne l'empêche pas
d'être une honnête femme et d'avoir le bon
droit pour elle, alors que le fait de n'avoir pas
d'enfants qui auraient « retenu le mari au
foyer » altère légèrement son image. Ainsi une
très antique malédiction contre la femme
stérile parvient-elle du fond des temps jusqu'à
la sténo-dactylo bilingue Mireille Granelli, en
passant par les courriers du cœur, les photos-
romans, la psychanalyse pour tous et la chansonnette. C'est ce qui fait que Mireille n'est
qu'une alliée temporaire. Jeannette en a conscience. Et que l'alliance offerte ne s'adresse
pas tant à sa personne qu'à une situation à
laquelle Mireille réagit en fille des vendettas

corses et du droit romain, en sévère gardienne des lois. « France, mère des arts, des armes et des lois... » Si Mireille s'exprimait ainsi, et non dans le déplorable langage de ses lectures, peut-être que Jeannette, marchant à la reconquête de son mari, se sentirait plus triomphante. L'ennui, c'est que pour Mireille, Gilbert est son mari, et que pour Jeannette, c'est son amour.

Mireille et Marie-Christine, devant des tréteaux hâtivement disposés, rédigent les derniers cartons d'invitation qui seront remis de la main à la main, après les discours.

— Buffet campagnard ? Ça ne plaira pas, dit Mireille. On aime bien manger, ici.

— Ça vient de chez Bureau. Ce sera parfait, dit Marie-Christine.

— Du moment que c'est vous qui l'avez organisé... dit Mireille, ironique.

Marie-Christine a l'oreille fine. Elle distingue immédiatement dans le ton de Mireille, au-delà de l'agressivité habituelle, une note ambiguë qui l'intrigue.

— On met « buffet campagnard », parce que ça vexera moins ceux qui ne sont pas invités. Ça fera improvisé, dernière minute... Mais en fait ce sera un dîner par petites tables.

— Bien calculé, dit Mireille.

— Si on calcule, il vaut mieux que ce soit bien que mal, dit Marie-Christine.

Elles s'affrontent un instant du regard. Regard noir, obtus, de Mireille, impénétrable, retranchée derrière ses certitudes contradictoires; regard clair et mouvant de Marie-Christine, tâtonnant, mais sans peur, tâtonnant comme la tête du serpent qui cherche encore où frapper.

Du seuil de la baraque où Gilbert revoit son discours, que le vieux Buck vient de lui remettre, Claude Ferrand les observe. Ah! les femmes! Aucune objectivité. Toujours un facteur personnel, passionnel, qui se glisse... Non. Pas Marie-Christine. Soyons juste, elle se défend, elle attaque au besoin, mais sans haine. C'est peut-être encore plus inquiétant, cette jeune femme intelligente, belle, efficace, et qui arrive à gommer toutes ses qualités, à les faire passer inaperçues, jusqu'au moment de s'en servir. Une canne-épée, un serpent dans l'herbe, quand on pense à Marie-Christine on pense toujours à quelque chose d'acéré, de précis, de propre, de mortel. « Entre Marie-Christine et Jeannette, sentimentalement, je le vois mal barré, notre Gilbert, » pense Claude Ferrand avec quelque inquiétude.

Parce qu'il a beaucoup misé sur Gilbert, s'est beaucoup dévoué, multiplié, investi comme il dit, Claude Ferrand est un peu à part dans l'équipe; ancien directeur d'une multinationale de publicité, sincèrement dévoué à la cause, il déplore les méthodes qu'il estime désuètes du parti, et a beaucoup contribué à rapprocher Gilbert de la base. Plus conscient de l'importance des médias, plus intéressé par l'audio-visuel, les sondages, que Buckerman, que Jalabert, il a aussi plus d'humour et de chaleur. Et quoi qu'elle en pense, il est un peu moins que les autres l'ennemi de Jeannette.

S'il n'était pas aussi attaché à Gilbert, il trouverait même, parfois, les foucades de Jeannette assez drôles. D'accord, elle est impossible, habillée comme une poissonnière et le langage qui va avec, et la permanente ratée, et dix kilos de trop, et avachie sur la table au bout de trois verres, et vous sortant de ces choses! enfin elle est dingue, mais des yeux admirables, fusillant l'adversaire avec une chaleur étonnante, et ce masque, nu, ravagé, indécent de sincérité. « Si cette femme-là faisait du théâtre, ou de la peinture ou même de la contestation, pense Claude Ferrand, j'en ferais quelque chose. Elle a une gueule, une personnalité... Trop. Pour la femme de Gilbert, elle en a trop. » Quand on vient à penser à Jeannette, depuis « trop grosse » jusqu'à « trop intelligente » en passant par « trop amoureuse », bon ou mauvais c'est toujours trop.

— Monsieur Ferrand! Téléphone!

Marie-Christine ne lève pas la tête, mais le regard. Claude Ferrand en est agacé.

— Qu'est-ce que c'est?

— La clinique des Bleuets, monsieur.

— Mme Lefèvre?

— Non, le docteur Lévy.

— Merde!

Le petit Frédéric (un jeune militant qui lui est tout dévoué) n'a pas parlé bien fort, mais Claude Ferrand est sûr que Marie-Christine a entendu.

— J'y vais. Je sais ce que c'est.

Il prend sur lui de ne pas se précipiter, afin qu'elle n'ait aucun prétexte pour le suivre.

— On se demande pourquoi on accepte de participer à ces fêtes de parti, dit le chanteur, qui est un beau jeune homme aux cheveux pâles.

Ils sont plusieurs, sur la scène du théâtre de verdure, qui vérifient les installations. La représentation aura lieu à quatre heures et précédera l'inauguration de la maison de la culture.

— Pour remplir, tout simplement, mon petit vieux, lui répond patiemment le manager. (Les vedettes posent toujours des questions idiotes, c'est connu.) On prend ce qu'on trouve, tu sais. Surtout cet été, où rien n'est gagné d'avance.

— Ça me déprime. Ils ne sont même pas venus pour moi, ces gens. Et puis, ces trucs politiques, moi... Ils sont pour qui, ceux-là, déjà?

— Mais qu'est-ce que ça peut te faire? On te paie, tu chantes et tu remplis. Tu ne vas pas aller leur demander leur casier judiciaire? Et toi, est-ce qu'ils te demandent quelque chose?

Bien sûr. Du reste, personne ne lui demande rien. Que de chanter, et de « remplir ». Et ceux qui remplissent, on ne leur demande rien non plus. Que de payer. D'applaudir.

— Eh bien, ils devraient, dit-il avec un peu d'obstination. Pour savoir si on pense pareil. Sinon ça a quelque chose de... de malhonnête, je trouve...

Le manager est patient. Le chanteur a eu des déboires, une mauvaise presse, des complications sentimentales. Ça explique. Et puis il est de notoriété publique qu'il manque d'humour.

— Voyons, mon vieux... En dehors des fachos et des Brigades rouges, tout le monde pense à peu près pareil...

— Alors pourquoi ils n'ont pas voulu qu'on chante à l'intérieur, dans leur maison de la

culture? demande le chanteur avec une viva-
cité inhabituelle. Pourquoi on reste dehors,
nous, comme des lépreux?

Le manager est un peu gêné.

— Mais ne te fâche pas, voyons! C'est tombé
comme ça, c'est tout, parce que l'inauguration
et le vin d'honneur, c'est après, ils ne voulaient
pas ouvrir la salle avant, c'est tout...

— C'est ça, persifle le guitariste, le meilleur
copain du chanteur, c'est tombé comme ça,
comme ça pourrait tomber qu'on nous
demande de passer à l'Élysée, ou à Carnegie
Hall, ou en première partie de la Callas...
Question de chance...

Les musiciens s'accordent, le soleil baisse
un peu, la petite arène du théâtre de verdure se peuple déjà d'enfants piailleurs,
passionnés par les baffles, les fils, les synthétiseurs, plus que par le chanteur en jean,
pas maquillé. Peut-être ne le reconnaissent-
ils pas. De petits vieux s'installent déjà,
mangeant des frites à même le cornet, ou
des berlingots.

— On va bourrer, tu vois? dit le manager
avec un optimisme professionnel. Et j'ai
obtenu une brique de plus que ce qu'ils pro-
posaient. Tu vois qu'ils tiennent à t'avoir! Et tu
es invité au vin d'honneur.

— Pas de culture, mais de l'honneur? C'est

bien toi, ça! bouffonne le guitariste, auquel le manager lance un regard furieux.

— Tu ne vas pas me le démoraliser, non? Maintenant que ça reprend un peu?

— Il ne va pas se démoraliser pour une bande de politiciens à la noix! Vendeurs de salades comme nous, va! C'est pas la même salade mais c'est toujours la même monnaie. La différence, c'est qu'ils friment encore plus : ils pensent peut-être pareil, mais ils ne parlent pas pareil. Plus raffiné, plus culturel, même qu'ils ont besoin d'une maison pour ça!

— Quand on ne parle pas pareil, on ne pense pas pareil, dit le chanteur, sérieusement.

Il a ce beau regard opaque des animaux où passe tout à coup la lueur d'un monde différent. Pensée? Blessure? La lueur s'éteint.

— Je vais au maquillage.

Il s'éloigne.

— Il a vraiment un truc spécial, dit le guitariste. On ne sait jamais si ce qu'il dit a un sens, ou si c'est complètement idiot.

— Je prends le pari, dit le manager.

Ils se mettent à rire, avec le bassiste qui écoutait.

Pour ne pas se faire remarquer elle a payé son billet d'entrée. Merde, j'avais oublié que ce parc, c'est tout en gravier. Avec mes talons! Enfin, ce qui est fait est fait. Marchons, d'un air naturel. Ou plutôt, d'un air normal. Ce n'est pas toujours la même chose. Ce qui lui serait naturel, ce serait de courir aussi vite que possible jusqu'à l'endroit où se trouve Gilbert, et de se jeter contre lui, cherchant sa chaleur, sa protection... Mais sa protection contre qui? Elle n'a pas besoin de protection. *Ils* (l'équipe) ont beau la détester, elle a pour elle le bon droit, la loi, les usages... l'amour de Gilbert. Car il l'aime. Car il m'aime. Je le sais. Il est même étrange que de le savoir me donne aussi peu confiance.

La foule, les stands serrés les uns contre les autres qui forment un dédale où elle va se perdre, les couleurs violentes, les bruits qui se mêlent, tout est comme dans son cauchemar. Et ce n'est pas un cauchemar. D'heureux pères de famille portent des enfants rieurs sur leurs épaules, des ivrognes sympathiques goûtent les vins locaux, on entend vaguement l'aigre musique du stand du folklore, se mêlant au rythme lourd de l'orchestre qui répète sur le théâtre de verdure... Des jeunes gens se bousculent près des autos tamponneuses, du stand de tir. Ce n'est pas un cauchemar et ces gens-là sont gais. Pourquoi les bruits de la violence sont-ils inséparables d'une fête? Les coups de fusil, les chocs brutaux, les pétards, le marteau que fait retomber sur l'enclume ce costaud qui veut mesurer ses forces? Et quel rapport, ces défoulements, avec la culture que va célébrer Gilbert? Concessions. Il faut bien que les gens viennent. Les attirer par ce qu'ils aiment, bruits, couleurs, violences ou suavités suspectes, barbe à papa et chansonnettes, et puis leur faire avaler la médecine amère mais bénéfique : la culture. Un peu ce qui m'arrive, pense Jeannette. Je n'ai pas l'impression du tout de reconquérir quelque chose, mais d'avoir été amenée par je ne sais qui, je ne sais comment, à avaler une amère médecine. Pis, à la réclamer, à l'implorer.

Mais que lui reste-t-il d'autre à souhaiter sur terre que de rejoindre Gilbert où qu'il soit, et par n'importe quel moyen? Leurs premières années ont été pourtant pleines de gaieté, de violence et de couleurs, et elle n'avait alors peur de rien, dégoût de rien, elle avait faim de tout, des odeurs de fritures comme des visages entrevus, des idées comme des baisers interminables de Gilbert dont elle sortait meurtrie, le visage irrité par la barbe dure qu'il ne rasait jamais bien, et elle avait toujours sommeil parce qu'ils parlaient trop, faisaient trop l'amour, travaillaient trop, et ce trop était alors leur mesure à eux, et ils citaient ce chef d'État ou cet Indien Comanche, je ne sais plus, qui disait : « Un petit peu trop, c'est juste assez pour moi. » Cela se passait il y a des milliers d'années.

Elle marche sans se hâter, les pieds douloureux, le cœur empli de doute. « Il faudra que j'aie l'air à l'aise, que je puisse parler de la fête... » Elle va passer au stand du folklore. Sujet sans danger. Sans rapport avec rien. Elle se souvient d'une réception à Monaco où elle a eu l'honneur d'être placée à la gauche du prince. Un maître de protocole lui avait indiqué, avant, les sujets de conversation *souhaitables*. Animaux, cinéma... Il n'avait pas parlé du folklore. Il n'y a peut-être pas de folklore à Monaco?

Les gens se bousculent devant les tonneaux décorés de feuillage. Produits régionaux, vins... Elle n'a même pas envie de boire. De jolies jeunes femmes rieuses sous des coiffes de dentelles... Est-ce que les badauds ressentent cela comme autre chose qu'un carnaval? Comme une partie de leur passé? Ces costumes, ces danses paraissent toujours tellement identiques. Jupes et jupons galonnés, sabots, sardanes ou bourrées, gilets de velours noir, corselets lacés sur de jeunes poitrines... Qu'est-ce qui est là-dedans un peu faux, un peu triste? Que le sens du vêtement, de fête ou de travail, se soit perdu? Que le rythme de la danse, naïve et gauche, faite pour délasser, soit aujourd'hui curiosité sous le regard? Sans doute, c'est le regard même du présent sur le passé qui le profane. Du jour où l'on a dit : sens de la fête, où on l'a écrit et analysé, la fête est morte. Du jour où Gilbert est devenu Gilbert, mon mari, et non plus Gilbert, l'amour, le monde, de ce jour...

Tu ramènes tout à toi. C'est une phrase qu'il lui a dite souvent, ces dernières années.

Le costume. Ne vient-elle pas de sacrifier à un folklore elle aussi, avec l'achat du tailleur, du chemisier en soie pâle, des escarpins, des gants? Autrefois le pouvoir était la force proclamée; les bijoux, les brocarts, les ors l'exaltaient. Aujourd'hui le pouvoir se doit d'être invisible. Du moins dans les démocraties, où l'opinion publique a tant de poids sur tout ce qui est sans importance. Et non moins déguisée que la jeune Picarde en corselet, je représente parfaitement Mme Lefèvre, la femme du député-maire d'A, député centre gauche d'un pays démocratique. Démocratie, neutralité. Le pouvoir se nie lui-même. L'homme public doit correspondre dans son apparence à la cuisine des palaces internationaux : pas de saveur appuyée, afin de ne choquer personne. Et la femme de l'homme public, bien sûr... Çà et là, pour donner l'illusion de la fantaisie, sur ce fade sorbet une arabesque de crème, une cerise confite, rappellent qu'il s'agit bien d'un dessert, ou qu'il s'agit d'un homme; un mot drôle, une distraction pittoresque, une expression archaïque (les « quarteron » et les « chienlit » du Général) et le public ravi croit découvrir l'homme derrière la flanelle rayée du dirigeant. Mais y a-t-il encore un homme derrière cette flanelle maléfique? Et dans cette femme, cette *dame*, qui flâne dans la foule, en dehors d'un statut social clairement défini par le sac, les chaussures, le collier de perles, un passant peut-il distinguer autre chose que cette apparence, supposer autre chose que des pensées bien ordonnées? Et n'est-il pas rassuré justement (le passant, l'électeur, le mari) par le fait qu'il n'y a rien d'autre que cette apparence, coquille vide d'un bigorneau défunt?

Tu ramènes tout à toi. Je me sers de moi comme mesure du monde, c'est vrai. (Une de leurs disputes, encore). Qu'est-ce que j'ai d'autre? Qu'est-ce que *tu* as d'autre?

« Enfin, tu es une femme cultivée, tu t'intéresses à un tas de choses, tu ne peux pas raisonner d'une façon purement subjective! »

Il n'a pas ajouté : comme la plupart des

femmes, parce que si on se met encore le féminisme sur le dos, avec une femme comme Jeannette!

« — Et toi, tu es tellement objectif que tu n'existes plus! C'est comme si tu étais mort! Une seule mesure pour tout le monde, une seule vie pour tout le monde, et celle que vous avez choisie entre vous, pour les gens. Comme si tout le monde pouvait porter le même costume, avait la même taille, le même poids!
— Tu es d'une mauvaise foi! Il ne s'agit pas d'imposer, au contraire, il s'agit de fournir aux hommes un instrument qui leur permette de communiquer, de se trouver à égalité, de... — Mais c'est toi, c'est vous qui le fabriquez, l'instrument! Et celui qui est incapable de s'en servir, tant pis pour lui! Ce sont les gens qui ont décidé de ce qu'elle serait, la Culture, qui implantent cette Bulle, qui déterminent les programmes, qui... »

Quelle conversation (malgré le ton), d'un niveau élevé! Il a sa voix un peu sourde, intense, sa mâchoire de dictateur, ses yeux francs d'homme sincère, réaliste mais sincère; elle a déjà les yeux pleins de larmes, le regard un peu égaré, ses lèvres épaisses et douces tremblent, et il est évident qu'en parlant de démocratie, d'objectivité et de culture, elle parle de Marie-Christine.

Évident. Parce qu'en dehors de Marie-Christine (et Jeannette a tort de s'imaginer que Marie-Christine est pour quelque chose dans l'idée de la maison de la culture; c'était son rêve à lui depuis toujours), qu'est-ce qu'il a à se reprocher, en dehors de Marie-Christine?

Mais ils n'ont pas prononcé le nom de Marie-Christine. Jamais.

Elle marche. Dépassé, le folklore, les musettes, les jeunes femmes avenantes qui versent le vin, portent haut leur coiffe empesée, et dansent la bourrée en attendant le bal du soir pour danser vraiment, sans application. Les jeunes femmes avenantes qui auraient pu être les maîtresses de Gilbert. Dépassées, les aventures qu'il a eues, qu'elle a sues, qu'elle a tues. Comptine, neuvaine douloureuse : les Colette, les Antonia, les Martine, secrétaires, coiffeuses, mannequins quelquefois, vite épuisées, vite rejetées, et elle avait un peu honte qu'il les aimât si peu, qu'il les aimât moins qu'elle ne souffrait. Ça aurait dû s'équilibrer.

Adieu folklore, passé, je recommence à zéro, je reprends, je prends enfin ma place dans la Bulle, j'entre, je parle, je... Adieu moi-même?

Elle serre un peu les épaules, détourne un peu la tête en passant près d'un groupe de jeunes gens inactifs, qui vont ricaner. Peur de la jeunesse. Peur de son image. Eux aussi, pourtant, déguisés : habillés de cuir, faux motards, faux loubards, fils de famille souvent, investissant une révolte brève dans l'achat d'un pantalon satanique, petits employés s'aveuglant sur l'avenir bouché dans le vrombissement d'une moto volée, jeunes chômeurs racistes et misogynes, prêts pour s'en sortir à tous les extrémismes... Et s'ils ricanent quand passe cette dame un peu forte, hésitant sur ses talons hauts, qui décemment transpire et peureusement évite leur regard, n'est-ce pas qu'ils savent, qu'ils savent par expérience, bien qu'ils soient jeunes et qu'elle ne le soit plus, beaux parfois, et qu'elle ne le soit plus, belle, marginaux, et qu'elle soit tellement située, que ces apparences ne signifient rien, que ce *statut* n'est même plus enviable, que tailleur Chanel et collier de perles ont aussi peu de rapports avec le monde réel que les coiffes picardes ou le pas de bourrée, que les pantalons de cuir et les insignes nazis? *Que le bigorneau est vide?*

Un jour elle a découvert ça.

Et je jure que je ne parle pas de Marie-Christine!

Claude Ferrand reparaît, le front soucieux.

— C'était la clinique, ou l'hôpital? demande intelligemment Marie-Christine.

Mireille rougit légèrement. L'hôpital, elle sait, c'est un problème qui ne la concerne pas (deux travailleurs immigrés tombés d'un échafaudage pendant la construction de la Bulle) mais la clinique... Elle craint que sa visite à Jeannette ne soit pas passée inaperçue.

— L'hôpital, répond Claude Ferrand. Etat stationnaire. Rien de neuf.

Il ment. Elle le sait. Mais il est impossible qu'elle vérifie. Et quand on tient une information, dans l'équipe, on la garde pour soi. Du reste il attend aussi des nouvelles de l'hôpital. Le syndicat C.G.T. prétend que les travailleurs de la troisième équipe n'ont pas bénéficié des mêmes normes de sécurité qu'au début, qu'on a réduit les équipes. Bien sûr qu'on a serré sur les crédits! Avec la subvention qu'on avait et les moyens de la ville! Mais c'est un problème qui se négocie. Jeannette sortie subrepticement de la clinique, alors qu'il était entendu qu'elle y restait jusqu'à la fin de la semaine, c'est un problème qui peut éclater à tout instant. Surtout si dès sa sortie elle s'est envoyé une demi-douzaine de pastis, comme à Compiègne, le jour du fameux scandale.

« — Et vous, qu'est-ce que vous auriez fait, avait-elle dit en manière d'excuse à Buckerman, si vous aviez trouvé votre femme dans les vestiaires de l'hôtel de ville en train de s'envoyer un responsable? — Sûrement pas un scandale », avait répondu Buckerman sèchement.

Mais c'était pour éviter le scandale, justement, qu'elle s'était mise à boire, ce jour-là. Se disant qu'un pastis léger la remonterait, l'aiderait à prendre sur elle, et puis au bout de deux, trois pastis elle s'était dit (avait-elle prétendu) qu'elle allait rentrer sans dire un mot, demander le chauffeur, et en attendant la voiture elle avait bu encore un peu « pour tenir le coup », et alors, par pure malchance, Gilbert avait traversé le palier au moment où elle allait descendre, avec quelques personnalités et cette brune niaise qu'il appelait « mon petit ». La brune avait eu à l'égard de Jeannette un regard de défi (disait Jeannette!) et elle s'était furieusement jetée sur cette malheureuse, la giflant, la griffant, prétendant que c'était elle qui s'était isolée dans les vestiaires avec Gilbert, et on avait dû les séparer. Claude Ferrand n'a jamais su le fin mot de l'histoire. Buck prétend que ce n'était pas la même brune, mais une journaliste locale qui n'y avait rien compris. Mais Buck déteste Jeannette.

Et voilà qu'elle risque de déboucher à tout instant, Dieu sait dans quel état et dans quelles dispositions! Et de tout foutre par terre!

Claude hésite entre plusieurs partis à prendre. Se précipiter dans la foule et chercher si
Jeannette ne s'est pas glissée quelque part en
attendant le moment de faire un esclandre.
Transmettre l'information à Gilbert pour se
targuer de l'avoir, le premier, reçue. Il ne
s'agirait pas de tirer les marrons du feu et
qu'un (ou qu'une) autre les déguste... Quant à
prendre parti pour Jeannette ou pour Marie-
Christine... contrairement au reste de l'équipe,
il ne s'est pas encore décidé.

— Je suis bien contente, dit Marie-Christine
en pliant ses feuillets.

— De quoi?

Il est tombé dans le piège. Il n'y a officiellement qu'un sujet d'inquiétude, l'état des deux
travailleurs blessés, et qu'il n'y pense pas
immédiatement a éclairé tout de suite Marie-
Christine.

— Mais de ce que l'état de ces ouvriers ne se
soit pas aggravé. Ça pourrait être très embê-
tant... je veux dire, ça pourrait jeter une ombre
bien triste sur l'inauguration si jamais... l'un
d'eux allait moins bien...

— Tu parles, dit Claude grossièrement.

Il va falloir qu'il trouve un prétexte pour
aller téléphoner à l'hôpital. Parce que, tout de
même, ils ne sont pas brillants, les travailleurs.

Et que le syndicat qui ne pouvait pas décemment refuser sa participation à l'inauguration de cette *belle réalisation sociale* serait trop content de trouver un prétexte pour saboter l'inauguration. Enfin, ce matin, les nouvelles n'étaient pas trop alarmantes. A vrai dire il n'a écouté qu'à moitié. Côtes cassées, traumatisme crânien (les deux? non, le Portugais seulement) et je ne sais quoi encore. « Enfin, ils ne sont pas en danger *immédiat?* » Le médecin avait très bien compris. « Non, non... Je ne crois pas. Rappelez tout de même dans l'après-midi. »

Claude Ferrand est plutôt, dans le privé, un brave homme. Compréhensif, humain. En tout cas doué d'assez d'imagination pour se rendre compte que des côtes cassées et des traumatismes crâniens, des six, sept enfants et des problèmes de carte de séjour, ce n'est pas réjouissant. Mais cet après-midi, pour lui, l'homme au traumatisme crânien, c'est un obstacle au triomphe de Gilbert, de la Bulle, de la politique suivie patiemment depuis six ans. Juste un obstacle. Comme Jeannette.

Gilbert sort du baraquement.
— Ce qu'il fait chaud là-dedans! Enfin, pour

la fête, c'est idéal. Je suis vraiment heureux.

Il n'a pas dit : content, ni, satisfait, il a dit heureux. C'est parce qu'il n'a aucun souci du ridicule que Marie-Christine pense que Gilbert est peut-être un grand homme.

Ferrand s'arracherait les cheveux. L'envoyé du ministre n'est pas arrivé, Jeannette est dans la nature, on a un traumatisme crânien et un syndicat menaçant sur les bras, et Gilbert est heureux!

— Il faut que j'aille faire un tour à la signature de livres de poche... Est-ce que Guerraïtis n'est pas arrivé? Et Levraut? C'est fini ces cartons?

Il a son sourire radieux, il n'écoute pas les réponses, il n'attend pas Jalabert et le vieux Buck qui arrivent, il fonce dans la foule, s'arrête, repart, serre des mains... C'est vrai qu'il est heureux. Cette maison de la culture que Guerraïtis a conçue et bâtie, que Levraut animera, c'est tout de même son œuvre, un cadeau qu'il offre à cette ville devenue la sienne, à cette région difficile, qu'il a prise en main, fécondée, et qu'il compte bien garder.

— Mais avez-vous pensé à vos successeurs, monsieur le maire, en endettant la ville pour aussi longtemps, par des réalisations qui...

— Aussi longtemps que la ville aura des

dettes, je m'engage à en rester le maire, répond Gilbert avec cette ironie sans méchanceté qui est la forme discrète, nordique, du triomphalisme.

Après son échec de 69 et son élection de 73, il a presque constamment été heureux, ici. Tant de choses à faire! Depuis le tout-à-l'égout du quartier nord, jusqu'à la piscine, la bibliothèque municipale, le stade, et, enfin, la Bulle, car il l'appelle comme tout le monde, avec déjà de la fierté qu'il cache sous l'ironie. Et il est sûr qu'ils en sont fiers aussi, de leur Bulle, les habitants d'A. Même s'ils en critiquent l'architecture « ultra-moderne », même s'ils en contestent l'utilité. C'est l'élévation de la ville à un certain statut social qu'elle ne possédait pas; c'est la garantie de faire venir sur place des « parisiens » au lieu d'aller quémander leurs distractions à deux heures de train. C'est une occasion offerte aux jeunes, aux vieux, aux « moins favorisés » comme on dit pudiquement, d'accéder au luxe de la connaissance. Jeannette a beau dire, elle raisonne en privilégiée. Gilbert sait, lui, ce que c'est qu'une vie sans horizon, sans projet. Une vie qui se mâche, se digère, s'expulse, avec le morne contentement d'une bête repue. Subie. Non, Jeannette. Toi qui as ou qui avais la foi... Il écarte l'idée de Jeannette. Jeannette, c'est son échec, dans cette fête qui est son triomphe, sa création. Et pourtant, c'était si bien parti! Même les Gendron qui ne pouvaient pas le sentir, au début de leur mariage, se sont petit à petit rapprochés de lui. Ou lui s'est rapproché d'eux. On ne peut tout de même pas le lui reprocher. Le professeur est un homme remarquable, et ces relations que Gilbert ignorait quand il s'est marié lui ont finalement, des années après, été utiles. « Tu as fait un mariage d'intérêt, à retardement », dit Jeannette. Elle ne supporte pas que son père et son mari s'entendent. Ils ne sont pas intimes, mais ils parlent le même langage, boivent les mêmes vins. Parce que, forcément, au long des années, Gilbert a appris les vins qu'il faut boire et les mots qu'il faut dire aux grands vieillards qui détiennent le savoir, le pouvoir — c'est souvent la même chose. Et elle le lui reproche! « Vous vous entendez sur mon dos! » Une scène. Une des premières. Est-ce qu'elle buvait déjà? Il ne s'en rend pas compte.

Oh! il ne va pas penser à Jeannette aujourd'hui. Dommage, bien sûr, qu'elle ne puisse pas être là. Sa ville, sa création, sa femme, il aurait aimé tout tenir dans sa main, en même temps. Et lui montrer, lui prouver, qu'il a raison, que pour être efficace, il faut allier la prudence, le calcul, l'intégrité, oui, jamais il n'avait touché un pot-de-vin, été mêlé au moindre scandale, même ses ennemis le reconnaissaient, alors, qu'est-ce qu'elle lui reproche, car elle lui reprochait quelque chose, même avant Marie-Christine?

« — Mais je t'aime! — Comme ta vieille robe de chambre! — Écoute, sans aller jusque-là, tu... nous n'avons plus vingt ans. — Si! Je veux dire, ce n'est pas une question d'âge, c'est... ce n'est plus la même chose, ce n'est plus... — Tu n'as pas à te plaindre, il me semble. »

Il est dur avec elle, souvent. Grossier, même. Ça l'exaspère, ces discussions qui ne veulent rien dire. Il la baise, il l'entretient, il l'emmène en vacances, au théâtre, elle occupe une très grande part de ses pensées : il l'aime. Et on se demande bien pourquoi, parce qu'elle s'est fanée si vite, elle fait dix ans de plus que lui, et elle n'arrête pas de critiquer tout ce qu'il fait. Non, soyons juste, ce n'est pas une mégère, mais il sent en elle une opposition, une surdité qui l'exaspèrent. C'est même peut-être pour ça qu'il la baise si souvent. Pour la faire taire. Pour faire taire ce silence.

Ne pas penser à Jeannette. Ça le paralyse, il l'a souvent constaté. Et ça l'attire, comme un vertige, comme un abîme vers lequel on se penche, une eau dans laquelle il serait doux de sombrer. Qu'est-ce qu'elle cherche? Qu'est-ce qu'elle veut? Refuser de se poser la question. Elle ne vit pas dans la vie réelle, elle rêvasse tout le temps. Rêver est une chose terrible.

C'est joli, ces toiles de tentes étendues au-dessus des tréteaux où les écrivains signent leurs œuvres. Rayé vert et blanc ou rouge et blanc, comme les fameux berlingots d'A.

— Monsieur le maire, puis-je vous présenter Mme Dupuy, qui est l'auteur d'une très intéressante étude sur les techniques de la dentelle?

Jolie femme. Rien de provincial. Si on pouvait relancer la mode de la dentelle, cela créerait des emplois féminins dans la région, mais...

— Vous connaissez René Declerc... Jean Le Barrois qui a bien voulu venir de Paris...

Est-ce qu'on a pensé à l'inviter pour le souper, celui-là? Gilbert circule, remercie, est remercié, se sent bien. Évidemment il n'y a pas foule, mais c'est la première fois que des écrivains se dérangent pour la fête d'A. Ce qui prouve qu'elle atteint cette année une ampleur particulière, une importance accrue, grâce à la Bulle. Et il est touché par la timidité d'un certain public qui, tout de même, s'approche du stand.

— Est-ce que je peux savoir... ce livre-là, qu'est-ce qu'il raconte?

Ça commence comme ça. Ce livre, ce mot, et puis le reste suit, on émerge de la gangue, qu'est-ce que ça raconte, et on sort de chez soi, on découvre ses possibilités, on est armé pour répondre et au besoin pour lutter contre ce grand jeune homme distingué qui sourit :

— Mon Dieu, madame, il est un peu difficile de... l'anecdote n'a qu'une importance assez restreinte dans... Enfin, si vous voulez, c'est un roman d'apprentissage, l'histoire d'un enfant qui...

Apprentissage! Il ferait bien d'en faire un, lui, d'apprentissage; ce n'est pas comme ça qu'il séduira les foules. La brave dame, épouvantée, se retranche derrière son cabas.

— Merci... merci beaucoup... je vais réfléchir...

Il est vrai qu'un écrivain n'a pas à séduire les foules. Il doit être venu, celui-là, parce qu'il y a une télé régionale derrière, ou pour faire plaisir à son éditeur, ou parce que sa vieille tante habite dans le coin. Ce sont les étudiants qui achètent les livres de poche, et les livres tout court, les livres chers, c'est une catégorie de gens qu'il n'est pas nécessaire de séduire en expliquant « ce que ça raconte ». Des gens qui lisent, on pourrait dire, de naissance. Conditionnés à ça. Comme Jeannette. Alors, ils sont bien venus à faire les dégoûtés, et à venir critiquer sa Bulle. Lui qui a eu tant de mal à apprendre à lire, à lire vraiment, il sait qu'on doit aider, guider, ceux qui voudraient, mais qui ne peuvent pas accéder à la culture. Et je ne dis pas ça parce que c'est dans mon discours!

— Vous auriez dû, dit-il cordialement, lui expliquer ce que raconte votre livre.

Le grand jeune homme a tout à coup l'air désemparé.

— C'est si gênant... faire l'article, pour son travail...

Mais non, pas faire l'article, partager, donner à voir, et même, pourquoi pas, vendre. Est-ce que c'est pour une autre raison qu'on écrit? Finalement moins condescendant qu'il ne l'aurait cru, ce jeune homme qui a déjà « un petit nom ». Désarmé. Comme ses camarades, quand il était arrivé à Paris pour terminer ses études. Il les avait crus d'abord supérieurs, méprisants; ce n'était qu'un malentendu. Une façon de parler. On attrape ça comme un accent. Et avec les camarades de la section, un autre accent, un peu différent; c'est ça l'avantage de la politique, de l'action directe. On est en contact avec les gens, on sait leur parler. Évidemment, quand on écrit, on ne peut pas faire plusieurs versions du même livre, selon le public auquel on s'adresse. On choisit son lecteur et on s'y tient.

Il voudrait faire part de cette réflexion qui lui paraît intéressante. L'homme d'action s'adapte au public, tandis que le public doit, lui, s'adapter à l'homme de culture. C'est pourquoi il faut lui en donner l'instrument : la Bulle. Il essaie d'amener son idée.

— Je sais que, dans le roman moderne, l'anecdote n'a plus l'importance qu'elle avait. Mais je crois que ce que les gens cherchent, c'est un contact vrai avec l'auteur, qui les motive... Je crois...

Le grand jeune homme l'interrompt, pas très poliment.

— Je ne suis pas Ménie Grégoire, dit-il.

Gilbert est un peu découragé.

— Pourtant, dit-il presque timidement, le fait que les gens souhaitent avoir votre signature, n'est-ce pas... c'est tout de même le besoin de quelque chose de vivant? De quelque chose de plus que votre pensée, qui, elle, se trouve dans le livre?

— Oh! une manie... On ne vous demande pas de signatures, à vous, monsieur le maire? On en demande au moindre petit chanteur à succès, et peut-être sur le même carnet. La preuve qu'on a vu, touché... Mais cela se fait de moins en moins, vous savez. Depuis la télévision...

Évidemment. Quand on a les plus grandes célébrités à portée de bouton, pourquoi se déranger pour venir les voir en chair et en os? Pourtant, ça veut dire quelque chose, la chair...

— Vous devez avoir raison. L'année prochaine, je crois que nous y renoncerons.

L'homme dans le lit a simplement très mal à la tête. Une grande douleur sans contour, douce et sombre comme une fourrure. La femme, à côté de lui, sur la petite chaise de fer de l'hôpital, est affreusement malheureuse. Lui, respire doucement, avec précautions, pour ne pas déchaîner la bête à fourrure qui est là, lovée sur sa tête, assez paisible. Elle, respire doucement, avec précautions, pour qu'il ne meure pas. Il est en équilibre sur un fil, il exécute la gymnastique la plus difficile qui soit : il vit. Et il semble que dans la salle chacun en soit conscient, parce qu'elle est remplie, cette petite salle ensoleillée d'hôpital, d'un silence, comme on dit, *religieux*.

Ils ont un nom, cet homme et cette femme, ils ont des enfants, un numéro de Sécurité sociale, il était doux ou brutal, elle, bonne ménagère, économe, ou négligente, ou même belle, bonne. Cela importe peu. Ce ne sont pas les questions que se posent les occupants des autres lits, un vieillard, deux jeunes filles, un homme mûr au front bandé. Ils ne se posent aucune question : la tension, l'attention, à son extrême degré qui règne dans la petite salle ensoleillée provient de la nudité de l'événement. Une espèce d'effervescence silencieuse, de terreur qui comporte une part de soulagement. Au-delà des mots quelque chose d'essentiel s'accomplit, au-delà du temps, qui les libère. L'inexplicable est là, enfin, présent.

De la salle de garde, à travers les carreaux, l'une des deux infirmières présentes jette un coup d'œil.

— Quel silence! Est-ce qu'ils prient? demande la seconde qui est une sœur de Saint-Vincent de-Paul.

— Non. Ils regardent.

— Ils ne vont pas me faire ça! gémit Guerraïtis, l'architecte, un gros petit homme transpirant, chauve sur le front, exagérément chevelu sur les tempes, toujours agité, désespéré, professionnellement génial.

Ferrand l'entraîne à l'écart. Le premier adjoint n'est pas loin et il est dangereux. Comme Guerraïtis gesticule toujours et se plaint sans arrêt, personne n'y prête attention.

— Quoi encore?

— Le syndicat veut protester contre les conditions de travail! Le jour de l'inauguration!

— Mais non, voyons! Pure manœuvre d'intimidation! Comme c'est l'équipe d'Intercomm qui a exécuté les travaux, et qu'il y a menace de licenciement ils veulent se donner les gants d'arrêter une manifestation spontanée...

— Mais je vous assure que non! Il y en a qui veulent couper l'électricité! Mon œuvre est menacée! Ce sont des fascistes! La Liberté d'expression du Peuple Français est en danger! Mes portes ne s'ouvriront pas! Mes lumières, les effets lumineux, ne se feront pas si on n'intervient pas de suite! Ils parlent des blessés, comme s'il y avait de ma faute! Après tout ce que j'ai enduré, c'est le comble! Le comble!

Guerraïtis est un réfugié argentin en voie de naturalisation. A la fois plaintif et jovial, il considère qu'il a une fois pour toutes payé sa dette à la souffrance humaine, et n'a plus à concéder un seul point. Il a été pendant les années qu'a duré l'édification de la Bulle extrêmement éprouvant pour l'équipe, bien qu'il faille reconnaître qu'il travaille comme une bête et a obtenu des résultats étonnants. Il donne l'impression de parler tout le temps avec des majuscules.

— Mais enfin il n'y a rien de neuf? Pourquoi tout à coup...?

— Il paraît que l'un des maçons est à l'agonie. Mais moi aussi je suis à l'agonie! Ce moment, ce moment que j'attends depuis trois ans : les portes qui s'écartent devant le peuple émerveillé, l'effet d'illumination des hublots derrière la salle, l'embrasement des bulles rayonnantes...

Le vocabulaire de Guerraïtis exaspère Claude Ferrand. Mais cette fois il a l'air de se plaindre pour quelque chose. Il serait en effet catastrophique que l'inauguration ne puisse se passer selon le programme prévu, et au moment où le représentant du ministre débarque. Il faut prévenir Gilbert. Et l'histoire Jeannette? Toutes les tuiles à la fois! Il ne peut pas se battre sur tous les fronts. L'histoire du syndicat est tout de même plus grave (et donc plus intéressante, plus fructueuse pour celui qui saura trouver la solution).

— Marie-Christine!

Elle s'approche.

— Écoutez. Un mot, de vous à moi...

— Oui?

— Jeannette... enfin Mme Lefèvre aurait quitté les Bleuets ce matin.

Marie-Christine ne dit rien.

— Il se pourrait bien qu'elle débarque... qu'elle projette un scandale, je ne sais pas...

« Et vous m'en informez? Tiens, tiens... » pense-t-elle. Mais elle ne dit rien.

— Il faut que vous preniez la situation en main... J'ai un problème technique avec Guerraïtis. Tâchez de savoir. Mireille doit être au courant.

Maintenant, il a l'air d'avoir pris parti. Il *a* pris parti. Pauvre Jeannette, si elle tombe entre les pattes de Marie-Christine, il ne donnera pas cher de sa peau... Mais la Bulle avant tout. Il s'éloigne en hâte, suivi de Guerraïtis qui gémit :

— Une maison que j'ai conçue pour le peuple! A laquelle j'ai sacrifié mes dernières forces! J'ai...

Marie-Christine se rassoit près de Mireille, paisible.

— Qu'est-ce qu'il voulait?

— Savoir si on invitait le chanteur et les musiciens au buffet.

— Et on les met?

— Pourquoi pas les pompiers?

Les pompiers ont fait, au début de l'après-midi, une démonstration de gymnastique sur le stade.

— Oh! moi, ce que j'en disais... fait Mireille,

pincée. (Ni les chanteurs, ni les pompiers, ni, bien sûr, les vulgaires secrétaires. Mais les intrigantes blondes, oui!)

— D'ailleurs je ne crois pas que j'irai, non plus, dit Marie-Christine.

— Tiens, pourquoi?

— Je ne crois pas que ce soit ma place.

« Ça ne vous gêne pas beaucoup d'habitude », pourrait-on lire sur le visage sec et ironique de Mireille.

— Ou bien, Mme Lefèvre sera là, poursuit rêveusement Marie-Christine, et je serai repoussée à l'arrière-plan, et je vous le dis franchement, j'en souffrirai. Ou bien, elle n'y sera pas, et j'aurai l'air d'y être à sa place, ce qui sera encore plus gênant.

C'est la première fois que Marie-Christine reconnaît devant Mireille sa situation officieuse de maîtresse de Gilbert. Elle l'a fait du ton le plus naturel, sans la moindre nuance de complicité. Mais les mots sont bien du langage de Mireille. « Être à sa place », « ne pas se sentir à sa place », notions archaïques et provinciales qui ne mourront jamais tout à fait... Si Marie-Christine, bien qu'enfreignant la Loi, en reconnaît l'existence, elle est déjà, aux yeux de Mireille, un peu moins coupable.

— Elle y sera peut-être, lâche-t-elle.

— Elle en a le droit, dit Marie-Christine, sèchement.

— Ça!

Un silence. Mireille ne peut se résoudre à laisser tomber la conversation. Du reste, elles ont fini les cartons; et Mireille s'inquiète de ce que l'autre a pu apprendre sur son rôle.

— Vous êtes allée la voir à la clinique? interroge-t-elle prudemment.

— Je me suis demandé si c'était bien convenable, répond Marie-Christine et puis, j'ai hésité... Finalement j'ai fait envoyer des fleurs. Qu'est-ce que vous en pensez?

Mireille va de surprise en surprise. « Bien convenable » est encore une des expressions de sa famille, de petites gens, attentifs aux moindres préséances, aux politesses rendues, scrupuleusement, sou par sou... Si Marie-Christine avait un peu plus d'abandon dans la voix, elle se méfierait, mais Marie-Christine est tout à fait naturelle, froide, polie, demandant son avis sur ce point d'étiquette comme sur les invitations au buffet.

— Vu les circonstances, oui... des fleurs... il me semble que ça suffisait...

Elle attend une question qui va venir, qui ne vient pas.

— J'avais pensé à des chocolats, dit Marie-Christine. A la liqueur, évidemment, mais j'ai résisté à la tentation...

Mireille ne peut s'empêcher de rire et se le

reproche aussitôt. La causticité de Marie-Christine la désarme. Elle ne saurait être destinée à flatter Mireille qui est du *bon côté.*

— Vous êtes méchante.

— Peut-être. Je suis sûrement injuste avec elle... elle doit beaucoup souffrir... mais je ne peux pas m'en empêcher.

Évidemment. L'amour. L'amour irrésistible fait partie des conventions admises par Mireille. N'avoir pas pu résister à Gilbert, comment ne le comprendrait-elle pas? Et le discret rappel de la stérilité de Jeannette, cause de son éthylisme, cause du délaissement de son mari, sans justifier Marie-Christine, excuse peut-être, dans une certaine mesure... Cependant, pour être absous, il faudrait que cet amour se sacrifie, attention! Mireille se tient moralement sur ces positions, sans s'apercevoir que l'image de Marie-Christine est en train de se transformer insensiblement de Perfide Intrigante en Victime de l'Amour, concession dangereuse. Car enfin, en ce moment même, le destin n'est-il pas en marche pour arracher à Marie-Christine son amant, pour le remettre entre les mains de la Femme Légitime? Situation simple et brutale, qui plaît à Mireille comme l'un de ces photos-romans qu'elle lit, où le texte, réduit à l'essentiel, lui en paraît plus vrai. « — Je l'aime. — C'est moi qu'il désire maintenant. — Oui, mais je suis sa Femme. — Vous n'avez pas su lui donner d'Enfants. » C'est ainsi que Mireille imagine un échange de propos entre Marie-Christine et Jeannette.

Elle pense en majuscules comme l'innocent architecte. Et tout enjolivement littéraire, s'il peut n'être pas désagréable, lui paraît altérer une vérité essentielle qui s'exprime dans les bulles (tiens?) du photo-roman.

Elle a joué un peu le rôle de ce destin cruel dans le drame qui se déroule. Le rôle du Devoir. Jeannette cessera de boire, Gilbert comprendra qu'il doit sacrifier sa Passion, et Marie-Christine, le Cœur Brisé...

Pourquoi faut-il qu'aujourd'hui, justement, Marie-Christine se révèle comme un personnage moins antipathique qu'elle ne l'avait dès le départ supposé? Ce serait trop dire que Mireille ressent un remords, mais l'agréable regret des dénouements tristes...

— Je ne vois guère d'issue pour vous, dit-elle en empilant machinalement les cartons.

— Il n'y en a pas, dit Marie-Christine. Je devrais m'éloigner. Je n'en ai pas le courage. Pas plus qu'Elle de se désintoxiquer vraiment. Au fond je ne vaux pas mieux qu'elle.

Tour de passe-passe adroit. Je ne vaux pas mieux qu'elle, elle ne vaut pas plus que moi. L'absence apparente d'émotion fait tout passer. Mireille est convaincue. La dureté, la froideur de Marie-Christine proviennent non d'une nature ingrate mais d'une situation fausse. Le remords, le mépris d'elle-même la rongent.

— Je vous plains.

— Je ne suis pas à plaindre.

Sous-entendu : je l'ai bien cherché. La rudesse paysanne de Mireille admire. Marie-Christine est prête à *payer*, loyalement, le prix du tabou transgressé. Touché. Mireille fléchit.

— Écoutez, Marie-Christine, je ne devrais pas vous dire cela, mais... à votre place, je m'éloignerais. Au moins pour la soirée.

— Pourquoi? demande nettement Marie-Christine.

Mireille va-t-elle répondre? Sans jamais mentir, Marie-Christine a mis tous les atouts dans son jeu. Mireille hésite. Il y a donc quelque chose à savoir qui en vaut la peine. Si je peux mettre la main sur Jeannette, j'en fais mon affaire, pense Marie-Christine. C'est aujourd'hui ou jamais.

Sa main nerveuse se crispe légèrement sur l'enveloppe qu'elle tient. Souffrance de l'Amour. Mireille plie.

— Eh bien, parce que j'ai lieu de supposer...

Avec la petite monnaie du langage, Marie-
Christine a *retourné* Mireille.

Il y a deux ans que Marie-Christine est la
maîtresse de Gilbert, quatre qu'elle travaille
pour lui. Elle l'a examiné, jaugé : il lui convient. On peut même dire qu'il lui plaît. Elle
admire en lui une certaine naïveté qu'elle
n'atteindra jamais et qu'il a d'instinct su rendre efficace. Ils ont un peu les mêmes origi-
nes : elle connaît ses points faibles et ses points
forts. Elle lui croit des illusions : mais ces
illusions sont nécessaires. Et au cours des
années, elle s'est attachée à lui comme on
s'attache à une machine dont on connaît
parfaitement le fonctionnement, dont on est
sûr. Elle est donc parfaitement sincère quand
elle dit qu'elle a confiance en lui. Elle est
sincère quand elle dit qu'elle lui est « très
attachée ». Si elle ne lui dit pas qu'elle l'aime,
c'est parce que ça ne signifie rien. Peut-être
l'aime-t-elle quand même.

Marie-Christine est fille de cafetiers du
Nord. Études de comptabilité. Elle ne détestait
pas. Bras droit du conseiller financier d'une
grande banque. Bien qu'elle n'aime pas l'argent, elle est fascinée par les trajets de l'argent,

le langage de l'argent, la façon dont tout peut se traduire en termes d'économie et de finance. Fascinée par le langage froid. Vraiment elle n'imaginait pas ça. C'est la découverte d'un monde où il suffit de comprendre, d'être *intelligent*. On ne lui demandera jamais une parcelle de sa sensibilité, rétractée par le parler brutal, les émotions violentes, les disputes de ses parents, l'ivresse, théâtre quotidien de son enfance. Séduite, dès qu'elle commence à se faire des relations, par le jeu social où il suffit de savoir, d'apprendre, de dire des paroles convenues. On ne lui demandera jamais d'inventer. On lui demandera de ne, surtout, jamais inventer. Attirée, enfin, par la gestion politique. N'organiser que le possible. Faire bouger des hommes qui sont des fonctions, constater que les lieux communs sont en effet communs, s'adapter à des situations mouvantes mais prévisibles, chacune appelant sa parade, et n'exigeant pour y faire face que la connaissance des règles, un vocabulaire, une intelligence mécanique, du sang-froid.

Jetant donc son dévolu sur Gilbert. Car tout cela est vrai et n'est pas vrai. Pour dépasser le niveau de la réussite automatique, raisonnable, à laquelle elle peut mathématiquement et raisonnablement aspirer, il lui faut pousser devant elle un bouclier, il lui faut disposer de ce peu de folie qu'elle arrache en elle comme une mauvaise herbe, chaque fois qu'elle a tendance à repousser. Il lui faut Gilbert. Ses illusions. Ce qu'elle appelle ses rêves, assez gentiment. Car elle ne sait pas que son jeu de piste clair et subtil, son monde de statistiques et de sondages, froid et rassurant, c'est un rêve aussi. Rêver est une chose terrible.

Rêver est une chose terrible. Rêver le possible c'est rêver la mort. Car le possible est une prison. Rêver l'impossible c'est rêver la mort. C'est dire que la vie est ailleurs que dans cette chambre, que dans cette chair habitée.

Rêver est une chose terrible. On le savait autrefois, où l'on interrogeait sur les rêves des sages vieillissants devant des compas et des cartes, des femmes aux chevelures dénouées par les transes. Animaux fabuleux, oracles, nœuds gordiens, vierges sacrées, harpes éoliennes balbutiant mélodieusement le futur, saints stylites momifiés parmi vos excréments en plein ciel, qu'êtes-vous devenus, amulettes, signes, prodiges, nombres, miroirs? Prise aux fils de la tapisserie ou marchant aux abattoirs, licorne, choisis d'être ange ou bête. Car l'huile et l'eau, le bon grain et l'ivraie aujourd'hui se séparent. La lampe s'éteint, le champ devient stérile. Le verbe et la chair s'arrachent l'un à l'autre et il ne reste rien de vivant sur la terre que ces gouttes de sang.

Rêver est une chose terrible. La terre est ronde. Elle fut ainsi rêvée en étant plate sous tes pieds. Aujourd'hui, ton rêve, c'est de dire que la terre est plate, entourée d'eau, que ton corps a raison, qu'il n'en peut plus, de marcher sur des idées. Mais le corps n'a plus de langage. Il ne peut que crier, que détruire. Il n'a pas prise sur les mots qu'on lui tend. Le code de ses gestes est perdu.

Quelque part, l'antre de la pythie est devenu la loge d'une concierge, quelque part, se forge une langue nouvelle où le mot innocent ne veut plus dire idiot. Marchons.

Jeannette marche, il fait chaud. Ce que c'est triste, au fond, ces fêtes! Je ne crois pas que c'est parce que je suis triste moi-même que je le pense. C'est parce que c'est vrai. Quand on fête, on fête quelque chose. Un dieu, une personne, un anniversaire, un espoir... Ces gens-là passent le temps. Mais moi, si je retrouve Gilbert, si je renonce à passer le temps dans cette brume de l'alcool, j'aurai quelque chose à fêter. C'est la dernière fois que je passe le temps. Le temps aura une signification, comme il en a une pour Gilbert.

Soyons raisonnable. C'est la première fois que Jeannette se dit : Soyons raisonnable, parce que c'est la première fois qu'elle sent la nécessité de l'être pour obtenir ce qui est au-delà de toute raison : l'amour. Reconnaissons-le, elle s'est mis tout le monde à dos. L'équipe, les amis parisiens de Gilbert, sa famille à elle, sa famille à lui... Une réussite! La première fois qu'il l'a trouvée, en rentrant, l'œil vague, la voix pâteuse, ça l'a fait rire. Une imprudence, un accident, elle était allée sans lui à un dîner, on mélange parfois les alcools sans se rendre compte. Et puis il y a eu une deuxième, une troisième fois.

« Mais enfin! Jeannette! Qu'est-ce qui se passe? C'est ma faute, je suis trop souvent absent, trop pris depuis les élections... »

Il lui cherchait des excuses, des raisons. Gilbert! Sa bonté, sa chaleur, l'amour qu'elle ressent avec une telle acuité, tout ce qui devrait la sauver la perd, la mène au désespoir. Elle ne peut pas expliquer, excuser. Que ce n'est pas l'absence, au contraire. Que c'est une certaine façon de vivre et d'agir qui le rendent de plus en plus opaque, au contraire, de plus en plus présent — et limité. Qu'une dimension, une saveur, se retirent de leur vie.

« — Mais c'est toi qui ne veux pas t'intéresser... Tu pourrais me seconder si tu voulais! »

Oui. Elle pourrait. Non. Elle ne pourrait pas.

« — Note bien, je ne t'oblige pas... Si tu veux rester une femme d'intérieur... mais même dans ce domaine, tu pourrais faire un effort, franchement. La dernière fois que nous avons reçu le président du Tribunal et sa femme, le saumon... »

Elle a éclaté de rire. Et puis en sanglots. Pas à cause du saumon. Elle n'a jamais été une ménagère extraordinaire, mais enfin, elle ne méprise pas le problème du saumon qui, la dernière fois qu'on a reçu le président, était horriblement sec, c'est vrai. Parce qu'elle a laissé Aline, la petite bonne, le choisir. Est-ce qu'il peut croire qu'elle méprise le problème du saumon, elle qui lui laverait les pieds s'il le voulait? Non, c'est le but du saumon, le but du dîner, l'aboutissement des discours pontifiants du président qui lui a échappé, brusquement. Comme un habitué des concerts qui tout à coup n'aurait plus d'oreille, n'entendrait plus que la sèche construction mathématique de la musique; brusquement, non, pas si brusquement que ça, progressivement, au contraire, très progressivement, elle a perdu le sens musical, ou c'est la musique qui a perdu son sens. Elle n'est pas sûre. Est-ce que j'ai la berlue? Est-ce que je coupe les cheveux en quatre? Est-ce que c'est la « crise de la foi »? (son vieil ami, le père Octobre). Ou une « nostalgie de mai 68 »? (Claude Ferrand, du temps où il discutait encore avec elle.) Ou alors, est-ce que je ne l'aime plus?

Elle s'est demandé cela, elle, Jeannette, qui n'a jamais trompé son mari, qui ne vit plus quand il est en retard d'une heure, qui se nourrit de sa voix, de son rire, de son sommeil... Non, elle ne se l'est pas demandé vraiment, puisqu'elle sait, si elle s'est mise à boire, que c'est parce qu'elle l'aime, justement.

Et puis, lui, a trouvé cela : qu'elle buvait parce qu'elle ne pouvait pas avoir d'enfants. Stérile. Inconcevable. Une grande belle fille comme ça, stérile... C'est normal qu'elle en souffre. Son humeur s'altère. C'est normal. Des hauts et des bas. Stérile.

Mais non! C'est son amour qui la stérilise. « Tu en fais trop. » « Tu n'en fais pas assez. » C'est son amour. Tantôt comprimé en elle comme un membre par un garrot trop serré, et tout s'anémie, se paralyse, s'engourdit; tantôt, le garrot dénoué, le sang impétueux reflue violemment dans ses veines, elle s'est trompée, elle aime, elle est aimée, le monde reprend sens et couleur, elle se jette dans l'action, incohérente, fougueuse... « Non, tu ne peux pas faire ça, c'est un secteur traditionnellement réservé au P.C... Il vaudrait mieux attendre quelques mois avant de... Il faut s'implanter... Allons-y doucement, progressivement... » D'accord. Allons-y prudemment. Mais où?

La politique. Est-ce qu'il s'agit entre eux d'un différend politique? Est-ce que des époux, des amants, peuvent avoir un différend politique?

« — C'est incroyable? On dirait que tu insinues que je ne suis pas honnête! » Oh! non. Il est honnête. Mais est-ce que ça suffit pour vivre et faire vivre, l'honnêteté? « Mais c'est ça la paix, c'est ça la démocratie, c'est... c'est le fondement de notre société, une société à réformer, sans doute, mais une des seules dans laquelle, quoi qu'on dise, on puisse encore vivre à peu près libre! — Mais est-ce que ça suffit pour vivre, d'être libre? — Tu es folle. Tu es complètement folle. Qu'est-ce que tu regrettes, alors? Les délires staliniens, le sacre de Bokassa, Amin Dada, Evita Peron? Les dictatures sont tellement plus pittoresques, évidemment! Mais je n'écris pas un roman, moi, ni un opéra! Je cherche à créer des emplois et à installer le tout-à-l'égout dans les quartiers qui ne l'ont pas, figure-toi. Ce n'est peut-être pas très poétique, mais... »

Il a raison. Il a absolument raison. Elle n'est pas assez consciente de l'importance de ces choses, parce qu'elle est « privilégiée ». Mais il y a des gens qui ne sont pas « privilégiés » qui ressentent un malaise semblable, un malaise qui, contrairement à ce que pense Gilbert, n'est pas purement *poétique*... Ou qui l'est. Est-ce que l'on ne peut pas à la fois souhaiter le tout-à-l'égout et éprouver un malaise poétique?

« Tu devrais consulter un spécialiste. »

Pas un spécialiste des malaises, poétiques ou non. Un gynécologue. Elle obéit, contente d'obéir. Négatif, mon commandant. Stérile. On dispose son malheur autour d'elle comme les plis d'une robe. Claude Ferrand saute là-dessus. Les « dépressions » de Jeannette deviennent un peu voyantes. On a gagné les élections de 73, d'accord, mais la province est moins indulgente que Paris à certains égarements. La « tragédie » que vit Jeannette explique bien des choses. Une vieille photo de Mme Lefèvre visitant une pouponnière resurgit. Le flash et l'ennui creusent son masque lourd, la photo entérine ce drame; ce n'est pas Soraya, mais pour une ville de cent vingt mille habitants ce n'est déjà pas mal. Le vieux Buck intente un procès au journal qui assortit cette photo de commentaires sentimentaux. Qu'on se le dise. Jeannette sort de sa deuxième désintoxication pour rencontrer partout une *compréhension* qui l'achève.

Et re-belote. Bière ou pastis, scotch, gros rouge de cuisine, tout lui est bon. Gilbert s'habitue. Oh! il s'est habitué très vite. Une fois... il y a longtemps, à l'époque où elle se souvenait de ses cuites, — elle a dépassé ce stade —, une fois, à Paris, presque au début, il l'a trouvée accroupie dans la lingerie, sur le linge sale, elle pleurait à gros sanglots, comme un enfant.

« Jeannette! Qu'est-ce qui se passe? »

Ils croient toujours que des choses se passent, alors que rien ne se passe plus depuis longtemps.

Il s'est penché sur ce visage tuméfié de larmes pour l'embrasser et puis il a senti une odeur de vin, de vinasse, il a été écœuré, mais enfin pourquoi, il l'a secouée, giflée, et elle, incapable de trouver autre chose que :

« — ... Oui, un peu, j'ai bu un peu... je sens tellement que tu t'éloignes de moi... »

Il a cru qu'elle faisait allusion à quelqu'un (Martine? Antonia ?). « Je te jure... ce sont des ragots... tu écoutes n'importe qui... »

Elle a sangloté de plus belle. La morve coule

de son nez sur son menton, elle renifle, s'essuie, les traînées de rimmel, elle doit être affreuse à voir, ignoble, elle tombe au fond du désespoir avec une sorte de soulagement... Elle préfère ne pas se souvenir de ce qui s'est passé ensuite, sur le tas de linge sale. Ni des autres fois; je t'aime.

Et je me souviens. Pourquoi pas? Parce qu'il y a une histoire officielle de mon malheur — stérile — et une histoire officieuse, parallèle. Il n'y a que lui et moi qui la connaissons, celle-là. Encore la conteste-t-il, cette histoire chuchotée dans les draps sombres où l'on s'empêtre...

Deux histoires. L'histoire d'une femme qui marche, paisible, décemment vêtue, décemment coiffée, à travers les stands colorés, sous le soleil, dans la foule joyeuse, vers son mari, pour l'assister dans ses fonctions officielles. Et l'histoire de cette chose sanglotante au visage bouffi qui vomit ses entrailles dans un coin. Ces deux histoires ne se rejoindront plus jamais. Plus jamais le corps triomphant qui perd sa pesanteur, l'esprit qui s'épanouit en fleurs violentes.

Et partout elle retrouve et déchiffre des signes de son malheur. « Un homme parfaitement intègre ». Une intégrité politique et une honnêteté privée. Oh! rien qui soit aussi simple, aussi pur que l'hypocrisie, les modestes « magouilles » que le public, romanesque, imagine ou apprend. Autre chose : deux histoires parallèles, oui. Une sorte de créance que les uns détiennent sur les autres, qui se sent, qui va sans dire, et à force de choses qui vont sans dire, que signifient celles qu'on dit? C'est l'histoire secrète. L'histoire officielle, c'est le langage qu'on tient pour le public télé, parce qu'il croit que la terre est ronde et qu'il sent que la terre est plate. Et il ne le supporte pas, comme je ne le supporte pas. Et il le supporte de moins en moins, parce que de plus en plus le concept l'emporte et dirige la vie des hommes selon des normes qui ne sont pas humaines. Et de plus en plus Mme Lefèvre l'emporte sur Jeannette, sans que l'une parvienne à rejoindre l'autre jamais, et sans que l'une parvienne à croire en l'autre.

Jeannette marche, il fait très chaud, elle passe devant le stand du Patrimoine, des agrandissements de photographies, des plans de restauration, des dépliants. Elle se dit que c'est drôle que le Patrimoine, ce soit surtout des ruines.

Il y a le choc des hommes et celui des idées. Gilbert a du sang-froid et de la conviction. Le

représentant du syndicat, du poids et la conscience de son bon droit. Il s'agit d'une négo-
ciation. Les deux hommes se retirent sous la
tente rayée de l'Information, parce que le
baraquement est plein d'une foule de gens qui
téléphonent, s'agitent, et n'ont rien à y voir.
Gilbert est massif, résolu, prudent. Le représentant du syndicat a du savoir-faire, il mène
une guerre qui sera longue, avec des armes
qu'il manie en professionnel. Chacun s'établit
sur ses positions, comme pour un duel dont la
durée est fixée. Sur le qui-vive, mais assez
tranquille cependant. Chacun s'identifie parfaitement à sa fonction, conscient que la
victoire, s'il l'emporte, ne saurait être que
provisoire. Chacun sous son étendard, avec les
arguments, les mots déjà prêts, aussi définitifs
que les figures d'un blason. Il suffirait, bien
entendu, d'un renouveau de l'Union de la
gauche, pour que ces deux adversaires
se retrouvent côte à côte, le lendemain, le
soir même, dans ce qu'il est convenu
d'appeler l'opposition. Mais en stratèges émé·
rites qu'ils sont l'un et l'autre, ils connaissent
les mouvements, le quart de tour qui sans
être une volte-face leur permettra de faire
front.

Un coup de semonce :

— Cette inauguration qui est une insulte
aux travailleurs n'aura pas lieu.

Une parade :

— Les élus communistes qui ont voté les crédits se trouveront dans une position difficile.

— Pas s'il est démontré que les normes de sécurité n'ont pas été respectées.

— Je vous interdis...

L'engagement est rapide, violent. On n'a pas le temps de se ménager. Il est cependant impossible que ces deux hommes se disent paisiblement : Voici ce que je veux obtenir, et voilà mes moyens de pression. Voilà ce que je suis disposé à concéder et voici les armes dont j'entends user contre vous. Ils n'y songent pas plus qu'à en venir aux mains. Un rituel s'impose, la trompette du héraut, l'entrée en lice, le salut de la lance ou de l'épée, l'engagement. Il n'y aura cependant pas mort d'homme, ni jugement de Dieu. C'est une guerre de territoire, ce n'est pas une guerre de religion.

— Ça part très fort, dit Claude Ferrand, inquiet, devant la tente.

La foule continue à s'écouler, paisible, se dirigeant maintenant vers le théâtre de verdure où le chanteur va se produire, avant la tombée du jour et l'illumination, l'ouverture des portes de la Bulle.

Jalabert, Buckerman, les membres de l'équipe et ceux du syndicat, le premier adjoint qui fait entre les deux groupes office de plénipotentiaire, communiste mais adjoint quand même, jettent à Ferrand un regard réprobateur. Eux ne manifestent rien, chacun se tenant à sa place, à son rang, et y puisant une raison d'être. Bon pour la piétaille, l'agitation. Personne du reste dans ces deux groupes qui ne soit convaincu que les portes s'ouvriront, que l'illumination aura lieu et que le « facteur humain » qui inquiète Ferrand ne saurait jouer dans de telles circonstances. Il est vrai que Ferrand n'a communiqué à personne ce qu'il sait, que le petit Frédéric vient de lui chuchoter avec fièvre : « Elle est ici. On l'a vue dans la foule. Elle doit attendre le dernier moment pour se montrer. »

Sans doute est-ce cette nouvelle qui rend Ferrand nerveux. Il s'écrie :

— Et d'abord, pourquoi toute la délégation n'est-elle pas entrée sous la tente? Qu'est-ce que c'est que ces messes basses?

Les deux groupes semblent le regarder avec méfiance. Ferrand n'est-il pas l'homme de la presse, l'homme des médias, quelque chose comme le bourreau, serviteur indispensable de la loi, mais avec lequel on préfère ne pas frayer? C'est le sentiment du groupe de Gilbert, composé d'hommes cultivés, fins gourmets, manœuvriers émérites, et qui font de la politique locale comme on préfère aux grands vins de petits vins de pays, avec une vaniteuse modestie. Ceux-là, il faudra les écarter, pense Ferrand qui a pour Gilbert d'autres ambitions, mais les écarter avec des gants. L'autre groupe est plus intéressant et au fond plus maniable parce que plus convaincu; une conviction est comme une passion, elle oublie l'intérêt, le calcul, elle connaît les espoirs déraisonnables, les jalousies mesquines. Elle est donc susceptible de brusques écarts, d'emballements profitables. L'ennui, c'est que Ferrand n'est pas non plus en odeur de sainteté auprès de ce groupe-là. Pour eux, il est l'homme de la transaction, des concessions, des informations livrées à la presse capitaliste, près du public sans être près du peuple, comme lui a dit le premier adjoint un jour d'irritation.

C'est pourtant ce premier adjoint qui finit par répondre (car il navigue entre les deux groupes avec une adroite brutalité).

— Il y a un fait nouveau, dit-il.

— Encore!

— Comment, encore? On vous avait prévenus!

— Oui, mais il était entendu...

— Entendu! Est-ce que vous accusez la mairie de collusion avec...

— Mais non, mais non... Je veux dire que

nous espérions tous un accord de dernière minute, avant l'arrivée du représentant du ministre...

— Soit. Si les protestations des travailleurs sont suivies d'effets, il n'y a en effet plus de raison que l'inauguration ne se déroule pas dans l'ordre prévu.

— Eh bien, alors?

Un regard en arrière, une résignation dans le geste... Oh, tant pis, il faudra bien finir par le lui dire...

— Un groupe incontrôlé a pénétré dans la Bulle.

— Comment, un groupe incontrôlé? Mais qui? Des travailleurs?

Le duel est terminé. Ce n'était pas Roland et Olivier. Juste un engagement de routine, auquel Gilbert s'attendait un peu. Ce qui l'a surpris c'est qu'ayant obtenu ce qu'il désirait et que Gilbert savait devoir concéder, l'adversaire ne retrouve pas sa cordialité, comme lui. Qu'il paraisse, même, un peu gêné. Puisqu'on lui accorde un simulacre de victoire il pourrait au moins arborer le masque du contentement. Et puis ils marcheront côte à côte vers la Bulle, cette belle réalisation sociale d'une municipalité de gauche.

— C'est réglé ou non?

— C'est réglé mais...

— Comment un groupe incontrôlé?

— Ça c'est la plaie, aujourd'hui, dit l'adversaire avec une soudaine trivialité, inattendue. On ne sait plus où on en est, on ne tient plus les gens en mains. Une douzaine.

— Mais où?

— Dans les sous-sols. Aux commandes.

— Des gens à vous?

— Je ne crois pas. Ils se sont enfermés. Je n'ai pas voulu faire appel à la force sans vous en parler.

— Mais personne ne les connaît? Ils sont habillés comment?

— Normalement. On a cru qu'ils venaient livrer les plantes vertes ou les chaises pliantes. Et une fois qu'ils se sont retranchés dans les caves, on n'a plus su que faire.

Incontrôlés! Habillés normalement! Gilbert retient un «vous auriez pu m'en parler plus tôt» qui ne peut qu'indisposer l'adversaire devenu instantanément son allié.

— Et votre piquet de grève?

— Je vous dis qu'on a cru qu'ils venaient pour achever les préparatifs. Alors comme nous espérions aboutir à un accord...

— Oui...

— Et je vous assure, dit l'autre, désemparé, à leur aspect, ça pouvait être n'importe qui.

— C'est un monde! dit Gilbert. Allons-y.
C'est un monde.

— Mais est-ce que je *dois* m'éloigner? Est-ce
vraiment ce qui, *lui,* le servira le mieux?
Mireille se prend à douter.

— Je ne tiens pas compte de mes sentiments, dit Marie-Christine. Ni de ceux de
Mme Lefèvre, d'ailleurs. Je pense à nos efforts
à tous, qu'un scandale pourrait compromettre.
N'oublions pas que FR3 va arriver. Il faut du
reste que j'aille vérifier...

— Attendez, dit Mireille.
La Femme Légitime. Évidemment. Mais si la
femme légitime ne respecte pas, n'assume pas
sa propre légitimité? Si Mireille a été voir, a
conseillé Jeannette, c'est dans ce but unique :
lui faire reprendre sa place. parce que le
monde est ainsi fait que si les choses et les gens
ne sont pas à leur place... Alors si Jeannette
avec le vêtement qu'il faut, la coiffure qu'il
faut, le comportement qu'il faut, revient de ses
égarements pour prendre la place qu'il faut,
tout est dans l'ordre, tout rentre dans l'ordre,
grâce à Mireille. Mais si Jeannette l'avait
trompée et n'arrivait que pour faire un scandale?

— Vous croyez qu'elle ferait ça? demande-
t-elle avec angoisse.

Sa culpabilité est inscrite sur son visage. Marie-Christine a la sagesse de ne pas en abuser.

— Un scandale? Non, je ne crois pas. Elle l'aime tellement... En tout cas, elle ne le ferait pas de propos délibéré. Si elle me voit, si elle se sent blessée, si elle boit, évidemment...

Que Jeannette aime tellement Gilbert n'est pas pour Mireille une justification.

— ... parce que, voyez-vous, tout le monde a toujours répété qu'elle buvait parce qu'elle ne pouvait pas avoir d'enfants. Mais moi, je ne le crois pas.

— Non?

Mireille est dépassée.

— Ce serait pourtant sa seule excuse!

— Je crois qu'elle boit parce qu'elle ne sait pas vieillir. Parce qu'elle l'aime trop, dans un sens. Donc elle recommencera forcément un jour ou l'autre. Espérons que ce ne sera pas aujourd'hui.

— Elle va venir.

— Quand?

— Je crois qu'elle est déjà là.

— Où?

— Elle ne se montrera qu'au dernier moment. Elle doit... elle doit entrer dans la Bulle par la porte de derrière et se cacher dans la salle des expositions.

Quel travail, pour en arriver là! Mireille éprouve le bref soulagement de la trahison consommée. Marie-Christine ne montre aucune surprise.

— J'ai l'impression qu'il se passe quelque chose par là-bas qu'on ne nous dit pas, ajoute Mireille pour faire diversion.

En effet la brusque disparition de l'équipe et de la délégation du syndicat les laisse toutes deux seules devant le petit baraquement vide. Anormal.

— Sûrement un problème avec le syndicat, dit Marie-Christine. L'homme est peut-être mort. Ils vont en profiter.

— Et empêcher l'inauguration?

— Non. Impopulaire. Mais poser leurs conditions pour la réalisation du stade. Il ne manquerait plus qu'un scandale là-dessus. Il vaut mieux que je parte. Dans l'état d'esprit où est Mme Lefèvre, on ne peut pas s'attendre à ce qu'elle tienne compte de ces choses-là. Du reste elle ne serait pas au courant... il faudrait...

Mireille a perdu le nord.

— Allez-y, supplie-t-elle. Elle ira certainement là-bas à six heures... Je... je lui avais donné rendez-vous. Pour vérifier sa tenue, vous comprenez. Vous lui parlerez.

Marie-Christine comprend. Mireille se dé-

nonce, elle abandonne Jeannette, elle risque
son poste même auprès de Gilbert. Tout pour
la Bulle.

— Vous avez bien fait, dit Marie-Christine.

Elle le pense. De son point de vue, Mireille a
bien fait. Maintenant qu'elle a changé de point
de vue, elle fait bien encore de se fier à
Marie-Christine, qui va prendre la situation en
main.

— Vous pouvez compter sur moi, ajoute-
t-elle

Mireille accueille ces paroles avec soulagement. Pour elle, elles ont un double sens :
Marie-Christine se charge du problème Jeannette, et promet en même temps son absolution
à Mireille. Marie-Christine n'y songe même
pas, parce qu'elle n'en a jamais voulu à Mireille. Son hostilité est un fait qui la gênait, ce fait
a disparu, comme la sourde méfiance de
Ferrand. Elle va pouvoir manœuvrer en terrain dégagé. Pourquoi en voudrait-elle à des
assiégés qui lui tendent les clés de la ville? Il
reste cependant une bataille à livrer : elle la
gagnera. Elle en est sûre, aussi sûre qu'elle
l'est que Gilbert aime encore sa femme.

La femme est toujours assise au chevet du lit.
Elle plie les épaules sous le poids d'un malheur

compact, écrasant, qu'elle ne pourra plus
soutenir très longtemps. Le fardeau est trop
lourd, elle a trop peur, elle se sentira mieux si
elle cesse de le soutenir. Il va tomber, il tombe.
L'homme meurt. Une religieuse déplie un
paravent devant le lit. Diverses personnes
donnent et reçoivent des coups de téléphone.
Gilbert, arrivé à la Bulle, discute avec un
groupe d'hommes préoccupés. Guerraïtis
court dans tous les sens. Jeannette se tord le
pied devant le stand du Patrimoine. Le chanteur va entrer en scène. Doit-il attendre l'arrivée du maire? Le maire est retenu ailleurs,
circonstances imprévisibles, il ne viendra pro-
bablement pas. Le chanteur refuse de chanter.
Le public hurle. Le représentant du ministre
arrive au Lion d'Or, il demande qu'on le
change de chambre, qu'on le mette plutôt sur
la cour, c'est vraiment trop bruyant ici. Une
douzaine de jeunes gens (enfin on suppose
qu'ils sont jeunes parce que...) sont barricadés
dans le sous-sol de la maison de la culture. Il
semble qu'ils refusent de parlementer, ils sont
contre, c'est tout. Les portes sont blindées, on
crie de part et d'autre sans se comprendre. Au
théâtre de verdure la foule hurle d'impatience.
La rumeur parvient jusqu'à la Bulle. Emeute?
Oh, ça, non : le public. Le public des chanteurs
populaires hurle toujours, ça ne veut rien dire.

Encore heureux. Mme Narcisso Lopez est veuve, elle donne à la religieuse son numéro de Sécurité sociale, en échange on lui administre un verre de cognac. Il n'y a plus rien derrière le paravent. L'atmosphère se détend. Le vieux au fond déplie son journal. Maintenant on peut. Jeannette se tord le pied devant le théâtre de verdure. La clameur s'apaise. Bien que très froissé par l'absence du maire, le chanteur va *rentrer*. Il se doit au public, on le lui fait comprendre. Encore une heure à passer, pense Jeannette, en massant sa cheville. Elle laisse tomber son sac, le ramasse. Un gamin éclate de rire. Rien de tout cela n'est symbolique.

Encore une heure à passer avant de retrouver Gilbert, de le retrouver définitivement. Parce qu'enfin il s'agit surtout de ça, n'est-ce pas? Le retrouver ou le perdre. Alors elle se dit que ce serait une bonne chose de prendre un billet pour le spectacle, dont elle entend qu'il commence, et, perdue dans la foule, de regarder de loin, une dernière fois, ces places d'honneur où elle devrait se trouver, où se trouve sa place. Vide. Elle a eu le tort de laisser cette place vide. Rien d'étonnant à ce qu'une autre ait aspiré à s'y asseoir. Rien d'étonnant à ce que Gilbert ait laissé faire. Las d'être seul.

D'une certaine façon, n'est-ce pas elle qui l'a abandonné, plutôt que le contraire? Le spectacle, ce ne sont pas ces synthétiseurs qui préludent sur des rythmes primaires, c'est Gilbert Lefèvre, député-maire, dans l'exercice de ses fonctions, qu'elle verra officier, et dont il faut bien qu'elle se persuade que c'est aussi avec cet homme-là qu'elle doit vivre.

— Moi je veux bien vous donner un billet, madame, mais casez-vous comme vous pourrez, sur les gradins. C'est bourré comme un œuf.

— Ça ne fait rien, ça ne fait rien.

Elle pénètre dans l'enceinte, elle pousse, s'insinue de toute sa masse entre deux rangées de spectateurs déjà serrés à l'extrême, gagne un rang, un autre. Il y a du monde même sur les escaliers qui séparent les travées, qu'à cela ne tienne, elle parvient jusqu'au cinquième rang et se laisse tomber sur une marche, refoulant un jeune couple avec un bébé.

— Vous avez du culot, vous! s'indigne le jeune père.

Puis il jette un regard sur son visage et ne dit plus rien. C'est drôle combien de fois elle l'a constaté, elle si désarmée, si vulnérable, il y a un tas de gens auxquels elle fait peur. La peur qu'on a des fous, sans doute, pense-t-elle amèrement. La peur que j'avais de la vieille dame, à la clinique, qui marchait les yeux fixés à terre, en attendant l'éclosion de ses fleurs imaginaires. Est-ce que j'avais peur parce qu'elle voyait des choses qui n'existaient pas, des choses que je ne voyais pas, ou est-ce que j'avais peur de me mettre à les voir, moi aussi?

Ce sont des pensées qu'il vaudra mieux écarter à l'avenir. Elle jette un regard circulaire. Ni Gilbert ni le conseil municipal ne sont arrivés. Quelques fauteuils grenat, ridicules au milieu de cette arène où tout le monde a l'air accroupi par terre, attendent, protégés par une barrière dérisoire, sans cesse vacillante. Le chanteur n'est pas encore entré en scène, mais les musiciens ont entamé un air entraînant que la foule semble connaître, car un, puis deux rangs, puis la quasi-totalité de l'assemblée se met à frapper dans les mains, rythmiquement. Le jeune père à côté d'elle frappe des mains par-dessus la tête de l'enfant; la maman saisit les menottes du petit et l'incite à faire de même. Tout ce monde a l'air de s'amuser beaucoup.

Est-ce que le conseil municipal va taper dans ses mains? pense Jeannette un moment divertie. Non. Ça choquerait les gens. Ce qui est assez bon pour eux ne l'est pas pour ceux qui les gouvernent. Taper dans ses mains, avoir le fou rire, les discréditerait. Comme de boire. Comme d'aimer. Quand on a la responsabilité de la culture et du tout-à-l'égout... Oh! je sais que je suis parfaitement injuste... Et que cette musique est minable.

« Est-ce que tu as besoin, disait Marie-Christine à Gilbert, d'une femme faible pour te sentir un homme fort? » Elle disait : « Je te comprends. Tu lui dois beaucoup. Tu as pitié d'elle. »

Si quelqu'un avait pitié de Jeannette, c'était peut-être Marie-Christine, mais pas lui!

« — Je ne lui dois rien, rien du tout, que des emmerdements! — Enfin, tu lui gardes un très grand attachement, quoi que tu dises... Tant de souvenirs communs... »

Ils étaient propres, ces souvenirs! Oui, le début, les premières années, les toutes premières, mais c'était la jeunesse, l'exaltation, la beauté de cette fille splendide, si vite fanée, les années 60, la renaissance du P.S., l'enseignement d'abord, puis la politique, l'horizon sans cesse élargi, et elle restait à la traîne, indubitablement. La déception de mai 68, d'accord, eh bien, si elle était si déçue que ça, qu'elle reste dans sa cuisine, ce n'était pas lui qui l'exigeait, il n'était pas misogyne au contraire, mais enfin si elle n'était bien que la poêle à frire à la main... libre à elle. C'est vrai qu'il y avait le lit aussi qui leur restait. Qui leur restait toujours. Le lit, ou la salle de bains où il la retrouvait régulièrement effondrée, la voix pâteuse, vomissant dans le bidet, ou la cuisine où elle dormait la tête sur la table, la moquette du salon où elle se traînait à quatre pattes, oui, en riant comme une folle... En voilà des souvenirs, Marie-Christine, la voilà, la femme légitime, Mireille, la voilà, Buckerman ou Jalabert ou Ferrand, la femme du député-maire, ma femme, mon amour, et si cette femme balbutiante, égarée, avec son odeur de transpiration, de vomissure, si je la prends telle qu'elle est, où elle est, si j'écarte ses cuisses empâtées et que je la pénètre avec fureur, cette femme à qui je n'ai jamais pu faire d'enfant, c'est parce que quand elle n'est pas soûle, folle, égarée, c'est encore pire.

Il n'a pas pitié, il n'a pas de souvenirs, il ne pense pas au triste sort d'une femme de quarante-quatre ans qui en paraît cinquante et que son mari abandonne avec une maigre pension alimentaire et sans enfants. Tous ces scrupules qu'on lui prête, ces beaux sentiments, ces délicatesses, il les ressentirait sans doute vis-à-vis d'une femme qu'il aurait cessé d'aimer. Mais il n'a pas cessé d'aimer Jeannette. Il la trompe, il l'humilie, il la prend et puis il la soigne, la borde, parfois même il lui parle, il essaie une fois encore de lui faire comprendre qu'il est un homme qui fait son métier d'homme, honnêtement, durement, il parle à une sourde.

« — Voyons, mais au moins, dis-moi ce que tu me reproches! — Je ne te reproche rien, j'étouffe. »

Il disait à Marie-Christine : « Tu ne peux pas savoir, quand je t'ai connue, si propre, si jolie, le soulagement... »

Elle savait. Elle sait, le soulagement du non-amour. Elle sait, le soulagement d'être loin des passions qui sentent fort, du vin qui révèle les rêves et les folies, le refus du monde et le désespoir, elle sait le plaisir de l'action qui produit ses fruits sages, du calcul qui s'avère exact. Elle sait même le regret de ce qu'on renie : non par expérience, mais par intelligence profonde. Elle le sait sans l'éprouver, et que c'est ce regret et la honte de ce regret qui font la force de Gilbert.

Elle disait : « — La pauvre femme, elle t'aime... — Elle m'aime! En faisant tout pour faire échouer ma carrière, en me rendant ridicule, comme à Compiègne, en me faisant une vie impossible, impossible... »

Il se fâchait sans crier, en profondeur, sa

voix sourde grondant comme une menace...

« Mais oui. En faisant tout cela, elle t'aime, pensait Marie-Christine. Et tu l'aimes, en disant tout cela. Et c'est pour cela que tu m'épouseras. »

— Enfin, vous n'allez pas me dire qu'on ne peut pas expulser ces trublions!

— Les pompiers sont sur place.

— Non, non, rien d'officiel, ce n'est pas possible, voyons! Ça donnerait à l'incident une portée... Comprenez qu'on exploiterait la moindre bavure aussi bien à vos dépens qu'aux miens! Que la C.G.T. ait empêché l'ouverture de la maison de la culture, ça la fout mal, non?

— Les normes de sécurité...

— Mais puisqu'on est tombé d'accord là-dessus! Et sur les indemnisations! Et sur l'édification du stade! C'est du mauvais vouloir pur et simple, dans une municipalité qui ne tient son mandat que grâce à l'Union de la gauche, quoi que vous en pensiez!

— Comment, quoi que j'en pense? Demandez aux travailleurs...

— Le représentant du ministre est arrivé au Lion d'Or, intervient Ferrand avec précautions.

— Si seulement on savait qui c'est, ces types...

— Des écolos, des loubards peut-être? Ce n'est pas vous, ce n'est pas la C.F.D.T., alors?

— Des fascistes! Des fascistes!

— Mais non, mon vieux, mais non! Il voit des fascistes partout, ce Guerraïtis!

— Il y en a partout!

— Ça c'est peut-être bien vrai, mais ce n'est pas le moment d'insister là-dessus!

— Et pourquoi? A cause du gouvernement, de vos tractations douteuses, de la subvention!

— Sans subvention, pas de maison de la culture, mon vieux... Et pensez au bénéfice, je veux dire aux bienfaits pour la population...

— Il faudrait tout de même vous décider, dit Ferrand. La télé va être là pour installer les caméras dans moins d'une demi-heure.

— Est-ce qu'on peut les forcer, d'abord, ces portes blindées?

— Je crois. Si les camarades s'y mettent...

— Bon. Alors, on les expulse, on les tient sous cloche jusque dans la nuit, et après ils s'échappent. D'accord?

— D'accord, si on décide qui c'est. Pour la presse, l'opinion, s'il y avait des dégâts...

— Il n'y a qu'à appeler ça des marginaux, et

s'y tenir, dit Gilbert. Ça ne gêne personne. Heureusement il y a des outils au rez-de-chaussée de la Bulle. Les hommes entreront par-derrière et feront sauter les deux portes blindées s'il le faut. Discrètement.

Guerraïtis, l'architecte, est désespéré. Il ne comprend personne et personne ne le comprend. Pourtant il parle admirablement la langue, à peine une pointe d'accent. Il a appris le français tout petit, et c'est la langue de la liberté, de la Révolution, des Droits de l'homme, de la culture justement. Et il a été heureux de consacrer ses forces à l'édification d'une maison de la culture dans le pays de la Liberté. Et on envahit cette maison. Et les syndicats ne le défendent pas. Et la municipalité de gauche est divisée. Et on ne fait pas appel à la force publique pour se débarrasser des fascistes qui veulent empêcher, comme à Haïti, le peuple d'apprendre, mais quand on parle enfin de faire sauter des portes, on ne mentionne même pas le fait que ces portes sont ornées de médaillons sculptés par lui-même. On ne se préoccupe pas de savoir pourquoi ces individus sans nom s'opposent à l'inauguration de son œuvre. On ne se préoccupe que de leur trouver un nom, justement.

Albert Guerraïtis en vient à se demander s'il comprend si bien que cela la langue française. Cette langue-là.

— Je te jure qu'il s'est fait excuser! Ils ont un problème syndical, là-bas, qu'ils doivent régler de suite...

— C'est un prétexte!

Le chanteur est toujours en coulisse pendant que l'orchestre joue.

— C'est comme si moi je refusais de chanter parce que j'ai un problème avec mes roads!

— Mais enfin, tu fais un complexe de persécution! C'est à cause de la presse de ces jours-ci? Mais tu penses que le maire, il a autre chose à branler que de lire *Flash-Etoiles* où tu as une mauvaise critique! Je t'en supplie, rentre! Ils vont se lasser de taper dans les mains!

— D'accord, d'accord... N'empêche que je ne remettrai pas les pieds ici! Le maire a peut-être autre chose à branler que de lire la presse, mais il a surtout autre chose à branler que de se montrer au spectacle d'un chanteur!

— Mais je te jure! Ils vont partout, les hommes politiques! Aux matchs de foot, aux fêtes de la bière, partout! Et l'accordéon de Giscard? Et ce que Mitterrand a dit sur Sheila?

Le maire a une emmerde avec sa maison de la culture, c'est tout... Vas-y, je t'en supplie, ils vont recommencer à gueuler...

Pâle sous ses cheveux pâles, le chanteur hausse les épaules.

— C'est bon, j'y vais.

Mais au moment de passer en plein air, il se retourne vers le manager, de toute sa jeune fierté offensée :

— J'y vais, mais tu pourras le lui demander, au maire, s'ils gueulent comme ça pour avoir de la culture, ses administrés!

Le projet de Marie-Christine, maintenant qu'elle connaît les intentions de Jeannette, c'est d'aller la trouver avant le début de la cérémonie, dans la salle des expositions, et de la persuader de se retirer pour ne pas gêner Gilbert. De se retirer, en somme, définitivement. Grandeur du sacrifice. Beauté de l'amour qui se fait marchepied d'un destin national. Pas gagné, mais pas impossible. Le sacrifice est un vertige pour la plupart des femmes de cette génération. L'image de la femme qui s'immole, l'image de l'homme qui surmonte par idéal une indigne faiblesse, ont encore cours. Mireille y croit, d'autres s'en moquent : Marie-Christine est prête à s'en servir, ni plus ni moins que d'un billet de banque, à sa valeur du jour. Elle constate, mais sans le comprendre, que certains attachent encore à ces images une valeur sacrée, tandis que d'autres leur dénient toute valeur d'échange. Peut-on nier un billet de banque? Peut-on le vénérer? Ces deux attitudes lui paraissent également absurdes. Mais l'absurdité est le mal du siècle. L'admettre, c'est jouer gagnant.

Marie-Christine quitte une Mireille un peu rassérénée et s'en va vers la Bulle. Traverse les bruits, la musique qui se déverse par les haut-parleurs, les cris des enfants, les annonces (Un portefeuille portant les initiales R.B. a été retrouvé au stand de la propagande. Le petit Jean-Jacques Raynal attend ses parents au guichet du théâtre de verdure...), la bousculade; souple, calme et vigilante à la fois. Elle rêve un peu. D'autres appelleraient ça calculer. Mais c'est bien une espèce de rêve, que de calculer l'avenir. L'Union de la gauche en péril a pour Marie-Christine autant de réalité que le mariage de Gilbert à dissoudre. La même réalité. Une réalité de billet de banque. Elle ne s'émeut ni ne s'indigne des fluctuations de la Bourse, des ambitions et des passions personnelles qui animent les participants à ce grand jeu. Tout au plus, parfois, se souvenant de son

enfance retranchée dans le dégoût, et pourquoi pas, dans le mépris pour ces grandes
personnes avides et bêtes, ressent-elle un soulagement à s'être échappée dans son intégrité,
sans rancune et sans cicatrices; c'est ce qui fait
son pas si léger.

Elle n'entend pas les bruits de la fête, ne sent
pas les odeurs, ne dit pas comme le sensible
Buckerman : « Tout cela est d'une vulgarité! »
Qu'est-ce que cela veut dire, vulgaire? C'est
utile, c'est tout. Elle arrive près de la Bulle. La
rotonde de verre, d'acier et de béton, entourée
de six excroissances jumelles, lui paraît belle.
Belle comme un mot qu'on ne comprend pas.
Un de ses refuges, enfant : le dictionnaire.
Balistique, lisait-elle, *bardeau, badiane*. Joie
sèche et propre des mots qui ont une définition, mais pas d'image. La Bulle a beau être là,
devant elle, elle est là comme un mot, comme
une définition, limitée à elle-même, au-dessus
de toute contestation...

— Quel joli sourire! lui dit galamment
Roland Maillard, qui la croise comme elle
contourne l'édifice.

— Alors, c'est réglé ce problème du stade?

Aussitôt Maillard se rembrunit. Ce n'est pas
son genre, les égéries.

— Il ne s'agit pas du stade, mais des normes
de sécurité qui...

Il le répétera dix fois si c'est nécessaire. Marie-Christine comprend cela. C'est un procédé. Ce n'est pas celui de Gilbert, mais c'est un procédé.

— D'accord. Je ne discute pas. Alors, c'est réglé ce problème de normes de sécurité?

— C'est-à-dire... Un fait nouveau s'est présenté... Finalement je ne crois pas que la délégation assistera à la cérémonie. De toute façon, à partir du moment où un représentant du gouvernement est présent...

N'importe qui lui répondrait que depuis deux mois il sait qu'un représentant du gouvernement sera présent. Marie-Christine se contente de le regarder avec curiosité.

— Vous risquez de laisser récupérer le fruit de vos efforts par d'autres, qui ne demandent que ça, fait-elle observer.

Il ne répond pas. Il est trop courtois pour la bousculer quand elle se tient bien en face de lui, mais il attend ostensiblement qu'elle s'efface. Entre la paroi de béton rugueux de la Bulle, percée de hublots, et le mur blanc qui la ceinture joliment, un mince couloir, déjà baptisé le labyrinthe, conduit à l'arrière du bâtiment, la placette. Elle ne peut pas lui barrer le passage indéfiniment. Une seule solution : le mettre en colère.

— Débordé par vos troupes? interroge-t-elle, ironique.

Et elle s'efface. S'il veut fuir, cela aura l'air d'un aveu.

— Comment, débordé! Mais je vous prie de croire qu'après une consultation démocratique, c'est d'un commun accord...

— Que vous fuyez la difficulté? On appelle ça, je crois, en référer en haut lieu? En langage démocratique, bien entendu...

— Je ne fuis rien du tout, et surtout pas mes responsabilités! rugit-il, cramoisi. Mais il y a des cas de conscience, figurez-vous, et quand un travailleur, par la faute de dirigeants incompétents et irresponsables, est victime d'un accident évitable...

— Ah! bon, dit Marie-Christine. Ne hurlez pas comme ça, Roland. J'ai compris. Le type est mort?

— Oui, le type est mort, comme vous dites avec tant de sensibilité! Le type est mort, et les autres « types » se refusent à se donner ne fût-ce que l'apparence d'une action policière dans des circonstances aussi tragiques, mademoiselle Caillaud!

— Mais je vous donne entièrement raison, monsieur Maillard, répond Marie-Christine. Même si je ne parais pas déployer vos trésors de sensibilité, je vous comprends très bien. Il est évident que le moment est mal choisi pour...

Quel moment? Elle n'en sait rien, personne

n'ayant pris la peine de la mettre au courant.
Mais, apaisé par son calme, sa netteté douce,
Maillard s'essuie le front (dans cet étroit
espace, il est côté soleil et Marie-Christine dans
l'ombre fraîche du mur) et reprend :

— N'est-ce pas? Lefèvre ne veut pas admettre que je ne peux pas faire défoncer des portes
et extraire des caves, par la violence, des
énergumènes qui sont peut-être des voyous
sans intérêt, mais qui *pourraient* être des
camarades, révoltés par la mort d'un camarade immigré...

— Tout est dans ce peut-être, dit Marie-Christine.

— Mais puisqu'on ne peut pas savoir...

— Il y a combien de temps que vous avez
appris... le décès?

— Oh! vingt minutes.

— Et il venait de mourir?

— Dix minutes avant. J'avais demandé à
une infirmière...

— Rien de plus normal. Et ces inconnus
sont dans le bâtiment depuis combien de
temps?

— Une bonne heure. Pourquoi?... Je vois,
vous voulez dire...

— Qu'ils y ont pénétré avant la mort de ce
malheureux, oui. Est-ce qu'ils ont un moyen de
communication avec l'extérieur, dans ces
caves? Le téléphone?

— Je crois qu'il y a un téléphone intérieur. Guerraïtis doit savoir...

— Vous le lui avez demandé?

— C'est-à-dire...

— Vous avez communiqué avec ces individus par le téléphone intérieur? Vous ou quelqu'un d'autre?

— Je crois que personne n'y a pensé, reconnaît Maillard, en songeant que depuis une demi-heure, on hurle de part et d'autre d'une porte de cinquante centimètres d'épaisseur alors qu'il y a peut-être un téléphone.

— Si on allait essayer, mon petit Roland? dit Marie-Christine avec son joli sourire.

Elle se faufile le long du mur, sans attendre de réponse, et que voulez-vous qu'il fasse? Il la suit. Il est bien évident qu'elle a raison. Si les choses peuvent s'arranger... Il reste une demi-heure avant l'arrivée de FR 3, une heure avant le début de la cérémonie. Il la suit. Vaguement conscient qu'elle a pris le contrôle d'une situation dont ses propres alliés l'avaient écartée. Et tellement éberlué qu'il ne songe pas encore à lui en vouloir.

Le rythme, la musique, le brouhaha ne l'ont pas dérangée; ils correspondaient au tumulte de ses pensées, à l'angoisse de tout son corps tendu : les fauteuils officiels restent vides, la foule se lasse de frapper dans ses mains et proteste, des enfants pleurent, les fauteuils restent vides, Gilbert ne vient pas, qu'est-ce qui se passe, il a peut-être un ennui, il a peut-être un malaise, vite, que je coure vers lui, que je m'échappe, mais... — Ah! non, madame, vous bousculez tout le monde pour passer et vous voulez encore changer de place! — Assis! — Ne poussez pas!

Et tout à coup un silence, bref, violent comme un éclatement, et du fond de la scène, absurdement vêtu d'une sorte de chasuble blanc et or, un jeune homme s'avance et chante.

— Ils ont coupé l'électricité, naturellement.

— Mais bien sûr qu'il y a un téléphone intérieur!

— Dans le hall, la niche à gauche!

— Vite, Marcel, vas-y tout seul, c'est tout transparent devant, il ne faut pas que les gens remarquent...

On confère, on s'affole. Marcel entre par la petite porte dans la Bulle; Maillard et son groupe se sont fondus dans l'équipe, on chuchote, tendu, on regarde sa montre, de temps en temps une suggestion est émise et accueillie par un tollé.

— Des lacrymogènes? Mais il n'y a pas de soupiraux!

— Et puis ça ne se dissipera pas en vingt minutes!

— S'ils ne sont pas au courant du décès, évidemment, ça change tout...

— Mais quel décès? Qui est mort? demande Guerraïtis que tout le monde se renvoie avec exaspération.

Marcel revient.

— J'ai bien trouvé le téléphone, mais ça ne répond pas. Ça n'a même pas l'air de sonner. Ils ont dû le couper.

— Donc aucune communication avec l'extérieur. Ça c'est plutôt bon.

— Oui, confirme Maillard qui reprend courage. Ce ne sont pas des travailleurs. Ils n'agiraient pas avec une telle irresponsabilité.

Bref soulagement. « Pour un peu ils s'embrasseraient, pense Marie-Christine, alors que le problème reste entier. »

On se retourne alors sur Guerraïtis :

— Et pourquoi les compteurs et le groupe électrogène sont-ils dans le même sous-sol? Hein? Nous sommes à la merci de n'importe quel énergumène, alors?

— Mais... c'est vous-même... les portes coupe-feu... on peut les bloquer de l'extérieur, d'ailleurs... ils ne pourront pas sortir si...

— Mais c'est ce qu'on veut, qu'ils sortent!
hurle Maillard brusquement hors de lui.

Et sa voix résonne si fort sur la placette
entourée de ses hauts murs blancs étrange-
ment découpés qu'il en tressaille lui-même.

Gilbert prend Marie-Christine à part.

— Qu'est-ce que tu en penses?

— Maillard est prêt à marcher.

— Grâce à toi, dit Gilbert, reconnaissant,
avec un soupçon de contrainte.

— Mais je ne suis pas sûre qu'il faille user de
ces hommes-là. D'abord, on leur devra quelque
chose. Et puis, cette effraction, ces portes qui
sautent... Avec cette manie de ton architecte de
fourrer des hublots partout, ça sera très
voyant... Est-ce qu'on ne pourrait pas...?

— Quoi? Mais quoi? Si tu as une idée, tu es
plus avancée que moi!

— J'ai une idée, dit-elle.

Elle pose sa main fine sur le bras de Gilbert.
Elle sent le muscle se raidir légèrement, puis
se détendre. Le premier mouvement de Gilbert
ne lui est jamais favorable. Elle le sait. Elle
n'en souffre pas. Ce sursaut surmonté lui
donne la mesure de sa puissance. Gilbert peut
lui préférer une autre femme, elle aura su l'en
faire rougir.

— Ecoute, si on avait, mais vite, mais immédiatement, une équipe d'électriciens qualifiés,

on pourrait reprendre le courant quelque part, je n'y connais rien mais ça doit être possible, et rebrancher au moins une partie du circuit sur la ville. On bloque les portes coupe-feu, ce qui empêche les manifestants de sortir jusqu'à la fin de la cérémonie et....

— Et comme ça on n'a pas à les identifier! C'est génial! s'écrie Maillard qui s'est approché.

— Vous auriez ça sous la main? demande Gilbert.

Marie-Christine : — Il ne faudrait pas que ce soit uniquement des adhérents C.G.T.

— On panachera, dit Maillard généreusement.

— On peut prétendre que l'inauguration est retardée de.. d'une bonne demi-heure pour que l'effet de lumière soit plus saisissant dans la pénombre.

— Maintenant, il faut occuper les techniciens de la télé qui vont débarquer, dit Marie-Christine. On leur fait un petit pré-buffet?

— Ferrand! Claude! Où est-il encore, celui-là? Enfin, Claude, il y a des problèmes, on tient peut-être une solution, il faudrait...

— Où est-ce qu'il y a un téléphone? J'appelle l'E.D.F., s'écrie en même temps Roland Maillard.

Claude Ferrand est plus débraillé que

jamais, en sueur, sans veste, il exagère un peu dans le genre populiste, pense Gilbert quand Claude l'attire sans ménagement à l'écart :

— Ecoute, ne t'affole pas, mais je viens d'apprendre... Enfin, Frédéric, tu sais, le petit Frédéric de l'Union des jeunes...

— Mais enfin, quoi encore?

— Ta femme... Jeannette, je veux dire... elle s'était échappée de la clinique ce matin et...

— Echappée! Elle n'était pas prisonnière! crie Gilbert.

Il ne crie jamais. Ça lui a échappé. Echappé, le cri. Echappée, Jeannette. Marie-Christine se fait attentive. Il avait bien besoin de venir lâcher ça, Ferrand. Puisqu'elle lui avait dit qu'elle s'en occupait!

— Et alors? On l'a retrouvée soûle, naturellement?

Il ne dit jamais « fatiguée » ou « déprimée » comme Buck ou Jalabert. Il emploie toujours pour parler de Jeannette les mots les plus durs. Mais c'est pour se faire mal, Marie-Christine ne s'y trompe pas.

— Non, ce n'est pas ça, c'est qu'elle est là!

— Ici?

— Au théâtre de verdure. Frédéric est passé par les coulisses pour vous excuser et il l'a vue. Pas dans la tribune, dans le public!

— Et... elle était normale? intervient Marie-Christine, plutôt pour laisser à Gilbert le temps de se reprendre.

— Je ne sais pas. Il dit qu'elle pleurait.

Peut-être qu'elle pleure. Elle ne sait pas. Ça n'étonnerait personne. Elle pense au bonheur. Quand on écoute des chansons d'amour, même stupides, on pense au bonheur. D'autant plus, peut-être, qu'elles sont stupides. Les poèmes, le livre, l'écriture, la beauté s'interposent entre votre peine et vous-même. L'art. Quand on écoute une chanson, même belle, on ne pense pas à l'art. On pense au bonheur.

« Vous devez reconquérir votre bonheur! » disait Mireille. Ce n'est pas ce bonheur-là auquel elle pense. Le bonheur, pour Mireille, est une notion aussi concrète qu'un meuble. On le perd, on le remet en place, on le déménage avec soi... Une fois, à Bourron, la propriété vétuste où les Gendron n'allaient jamais, et qu'ils prêtaient aux « enfants » (en refusant d'y faire réparer le chauffage), ils avaient dîné en écoutant des disques, c'était la mode alors des *Saisons* de Vivaldi, et ils étaient un jeune couple sensible à la mode; elle se revoit, et lui, comme par le petit bout d'une lorgnette, un jeune couple de gauche aspirant à un tas de choses, des grandes et des petites, un mobilier Louis XIII dans un appartement impressionnant de nudité, des soirées à la section et à la Cinémathèque, la découverte de restaurants chinois et de « routiers » extraordinaires; ils étaient naïfs, amoureux, assez contents d'eux-mêmes et du monde qui tout de même était en marche, ils disaient qu'ils avaient peu de besoins sauf l'enthousiasme et qu'*intellectuel* n'était pas une injure. Et ils étaient sortis devant la maison, dans le petit pré carré, par une nuit exceptionnellement claire, et Gilbert lui avait dit le nom des étoiles. Voilà le bonheur. Un moment extraordinairement conventionnel et chargé de sens. Voilà le bonheur.

> *J'ai cherché dans les cœurs*
> *j'ai cherché dans les fleurs*
> *et je n'ai pas trouvé l'amour...*

chante le jeune homme là-bas sur l'estrade, si loin, et la foule penche doucement de gauche à droite, comme sur le pont d'un bateau, et des jeunes filles ferment les yeux, et des corps se tassent fraternellement l'un contre l'autre, et tout cela n'a aucun sens, et Jeannette pleure, et elle a honte de pleurer, parce que ce qui a été la beauté de sa vie, elle ne l'a jamais revécu avec autant d'intensité que ce soir, en écoutant de la mauvaise musique.

Elle pleure, sans bruit, c'est un soulagement de pouvoir enfin pleurer sans être, pour cela, obligée de boire, et bien qu'il n'y ait vraiment pas de quoi pleurer, de quoi s'émouvoir, crier ou applaudir, pas de quoi fermer les yeux, avec cet air de souffrance bienheureuse que donne l'amour ou la beauté, comme ces vieilles ou jeunes femmes, comme ces garçons, ces enfants. Elle pleure parce que rien n'est plus capable désormais de lui rendre le bonheur simple de ses communions enfantines, à Sainte-Bernadette, rien, la fierté de se sentir utile en distribuant ses polycopiés sous la pluie fine du cinquième arrondissement, rien, son amour-admiration-désir pour Gilbert, quand il disait : « Je crois que je vais quitter l'enseignement pour me lancer dans la bagarre », et que son courage, sa foi, lui était évident comme un sexe dressé, innocent comme un sexe dressé — oh, ne riez pas, tout en elle se déchire, la douleur de ce ventre trahi comme de cet esprit qui se révolte : rien, il n'y avait rien d'autre derrière tout cela qu'une chanson bête qui fait pleurer ?

Il faudrait s'aimer
Davantage

Il faudrait se parler
Davantage...

chante le jeune homme vêtu de blanc. Il s'est
avancé sur le devant de la scène, sa voix s'est
amplifiée, il chante. Et ce jour-là, bien qu'il
déteste chanter en plein air et dans la journée,
sans la magie des projecteurs qui le soutient,
bien qu'il n'aime pas chanter pour un public
qui ne l'a pas choisi, qui est là par hasard, bien
qu'il ait des problèmes personnels et l'angoisse
d'une carrière qu'il pressent brève, bien qu'il
soit, non un archange blanc et or, une voix
ailée suave et violente, au service de mots et de
mélodies insignifiantes, mais un garçon de
vingt-huit ans, ce jour-là il chante avec une
intensité rare. La qualité du silence, dès les
premières mesures, il l'a ressentie, et que ce
quelque chose de magique, la « présence », qui
peut ou peut ne pas se produire, a lieu; il
chante. Il est en voix, il est en forme, mais
surtout, sans se le dire consciemment, il chante
avec une vie, un don de lui total, parce qu'un
député-maire qu'il ne connaît pas et ne con-
naîtra jamais, l'a, croit-il, méprisé. Parce que la
presse qu'il voudrait atteindre et à laquelle il
voudrait faire reconnaître son droit à l'existence, à la fierté, son droit d'être ce qu'il est, une

voix, une voix pure, innocente de toute tentation artistique, cette presse le méprise. Parce
que ce mépris autour de lui, il n'y échappe que
là, que cette injustice, il ne la domine que là,
sur ces scènes grandes ou petites, dans ces
stades, ces halls, ces arènes, ces hangars où il
oublie ses doutes, ses soucis, son identité
même, où il est, entouré de sa famille, de ses
fidèles, de ses amantes, de ses mères, de ses
frères, fervente et aveugle cohorte, roi, au-
dessus de tous les mépris, de la notion même
de valeur et de mépris, roi.

Tout est simple un moment. Même pour
Jeannette. Un jeune homme, beau, bête avec
quelque noblesse, chante. Il « chante l'amour »
comme disent ses affiches. Il chante de tout
son corps jeune et révolté, de tout son cœur
simple et sans arrière-pensée, comme un jeune
poilu de 14-18, bourré de propagande bleu-
blanc-rouge, s'élançait sous la mitraille vers
son dernier soleil, comme un soldat de l'An II
endurait le martyre, les pieds nus dans la
neige, pour que Napoléon pût un jour décorer
d'abeilles les salons vétustes de la royauté. Il
chante comme le jeune et stupide héros d'une
Chanson de Roland du XXIᵉ siècle, ce siècle dont
Malraux a dit qu'il serait religieux ou qu'il ne
serait pas. Il chante, barbare de l'avenir, des
paroles mal équarries sur des mélodies bâtie

en trois minutes, pleines de sens ce soir comme le plus sot cantique sur les lèvres d'un croyant, pleines de révolte plus que les rocks à trois millions le baffle, joués par des fils de famille pour des bourgeois à l'esprit ouvert, il chante des paroles pauvres, de pauvres mélodies pour de pauvres gens que d'autres paroles ou d'autres mélodies auraient empêchés de rêver.

Rêver est une chose terrible.

— Elle pleurait?

— Ben... oui, dit Claude Ferrand, l'air gêné.

Le sang de Gilbert ne fait qu'un tour. Littéralement. Tout son corps lui fait mal, de Jeannette si près et si loin, qui pleure. Jamais, dans ses pires soûleries, ses pires dépressions, elle n'a manqué de revenir vers lui, de se réfugier près de lui, même pour être à nouveau blessée.

— Frédéric pourrait retourner là-bas et la ramener... ou l'éloigner, selon... dit promptement Marie-Christine.

Gilbert : — Selon quoi?

Ferrand : — Mais c'est bourré, elle est au milieu de la foule, on ne peut rien faire jusqu'à la sortie. Elle ne pourrait même pas sortir.

Maillard revient, l'air important.

— L'E.D.F. est d'accord. Ils arrivent tout de suite, le temps de trouver le matériel. Maintenant on bloque les portes et on garde les zozos au frais jusqu'à la fin. Où est Guerraïtis? Qui sait comment on les bloque du dehors, ces portes? Le responsable de la technique? Ces soi-disant artistes, c'est toujours pareil, on les a dans les jambes du matin au soir, jusqu'au moment où on en a besoin. Alors, plus personne! Lefèvre! Gilbert! Monsieur le maire!

Gilbert a l'air assommé. Marie-Christine commence à ressentir une sorte de froid intérieur, de paralysie, qui est sa façon de souffrir.

— Mais qu'est-ce qu'il a? demande Maillard. Au moment où ça va s'arranger?

Il a Jeannette.

Jeannette en lui, depuis toujours. Oui, depuis toujours, avant même leur rencontre, le fameux jour de la banderole. Parce que Jeannette, c'est aussi Aubigny, son enfance entourée du chaud cocon familial qu'il a bien fallu quitter, auquel il a été si dur de s'arracher. L'amour obtus et farouche de sa mère (*s'il veut apprendre, il apprendra*), l'amour tendre et inquiet de ce père géant, aux bras sanglants : « Mais enfin, pourquoi, avec les économies qu'on a faites pendant la guerre, un métier tout trouvé, la ferme, si la boucherie ne te plaît pas, est-ce que tu as honte de nous? »

Non, non. Honte, non. Reniement, non. Mais besoin d'autre chose, de surmonter la tentation de la vie, de la mort. Honte, peut-être. Mais de moi, pas d'eux... De moi qui aimais Aubigny, les préjugés d'Aubigny, les bals et les beuveries pas méchantes d'Aubigny, et les filles de ce pays d'élevage qui jugent un homme à la carrure et au poids, comme un taureau. Des nourritures lourdes et lentes d'Aubigny, des mots qui tombent lentement, comme des pierres, et qui ne bougeront plus jamais. Honte de moi soudain dissipée quand Jeannette, ses seins, son enthousiasme, ses convictions, ses paroles, ses lectures, ses seins. Honte lentement revenue, ses interrogations, ses doutes, elle ne suit pas, ne me comprend plus, les camarades résolvaient ça très facilement, tu es très pris et puis, qu'est-ce que tu veux, les femmes... Trop facile. Lentement, Jeannette avait viré du côté d'Aubigny. Comme s'il y avait un choix à faire! Il y avait peut-être un choix à faire, après tout. Elle l'a déçu. Elle l'a comblé. Empâtée, ivre, incohérente, abandonnée, plus attirante peut-être que jeune, belle, avec ses lectures, sa famille, l'environnement de tout cet univers qu'il a cherché... Peut-être l'attire-t-elle plus, ou autrement, sans tout cela : nue.

Plus dangereusement en tout cas. Attirante comme un retour à Aubigny. Attirante comme une régression vers l'enfance moite et balbutiante. Le lit, le lait, le sang, l'amour.

Honte de moi, honte de Jeannette. Extirpe l'un tu extirperas l'autre. Enfin disponible, claire pensée, claires paroles s'élevant de la claire maison construite pour qu'une aspiration venue du fond des temps s'y satisfasse, une aspiration qui changerait la vie, changerait la mort... Au début, elle me comprenait. Au début, nous marchions ensemble. A quel moment est-ce que j'ai commencé à avoir honte, à avoir honte d'avoir raison?

— Voilà les camions de FR 3, dit Marie-Christine. On met sur pied ce qu'on leur raconte, ou...?

Il sursaute. Brève plongée, qui n'a pas duré vingt secondes. Maillard est toujours là, le regardant d'un air stupéfait. Les traits de Marie-Christine sont tirés par cette extrême attention, cette mobilisation de tout l'être qu'on voit aux champions sur la ligne de départ.

Choisis. Prends en main une situation molle comme une glaise, transforme-la, crée-la, agis, arrache-toi à la vision qui t'aspire ou alors, sois à jamais prisonnier de cette image : une femme nue, qui pleure.

Assez! ASSEZ! Elle s'est dressée sur sa marche d'escalier, instinctivement, on l'a fait rasseoir, sans brutalité. Il y a çà et là dans l'arène vibrante quelqu'un qui se dresse, qui crie, qui se rassoit. L'émotion. L'hystérie collective. Gilbert me voit comme ça. Une folle. Et peut-être que je suis folle. Comme la vieille dame de la clinique. « Ce ne sont pas les mêmes fleurs », disait-elle, et ajoutait par courtoisie : « Je trouve. » Un jour, le docteur Lévy qui a, disent les infirmières, la patience d'un ange : « — Elles sont plus belles que les vraies, vos fleurs ? — Différentes, cher docteur, différentes, répond la vieille dame avec une infinie distinction. — Ah ! vous voyez ? Vous vous rendez compte maintenant que les vraies, ce sont les autres ! » Et la vieille dame si *bien* a eu tout à coup une petite voix d'enfant vexé : « Je croyais que nous bavardions, mais c'était une attrape ? »

Jeannette était sur son transat, sur la petite terrasse *privative* voisine de la vieille dame. « Mais est-ce si grave, Henry, que cette pauvre dame s'imagine qu'elle fait pousser des fleurs quand elle dit son chapelet ? » Henry Lévy s'était mis à rire. « — Ce qui est grave, c'est qu'en week-end chez son fils, un bon ami à moi, elle est allée raconter ça au curé du village qui lui a ri au nez, comme vous pouvez l'imaginer. — Eh bien? — Eh bien, elle a mis le feu à l'église. Avec une lampe à pétrole. A soixante-dix-sept ans! Si je ne l'avais pas prise ici elle était internée à Saint-Antoine... — Et vous n'avez pas peur qu'elle mette le feu ici? — Non, non... Elle est guérie. Oui, je sais, elle joue toujours sa petite comédie de surveiller les pavés, mais que voulez-vous? C'est une espèce de point d'honneur, pour elle. Au fond, elle sait. — Et moi, Henry, je suis guérie? — Voyons, Jeannette! Mais vous n'avez jamais été malade, voyons! Des problèmes, oui, qui n'en a pas? Un peu de stress, de déprime, de... »

Quels vilains mots pour un chagrin d'amour!

La vieille dame a mis le feu à l'église. A soixante-dix-sept ans. Qu'est-ce qu'elle pouvait faire d'autre? Rage impuissante des faibles. Jeannette n'a pas osé demander si l'église a flambé tout à fait, si la vieille dame a eu au moins, avant de guérir, cette satisfaction : une dernière grande fleur de feu, de fête...

Elle n'a pas osé le demander. Elle s'est demandé s'il n'y a plus de fêtes que folles, que barbares.

Car elle est au milieu d'une fête barbare. La

foule s'est échauffée, elle flambe, applaudit à tout rompre, fredonne des refrains qui vont en s'amplifiant :

J'avais rêvé d'un monde
Où tout serait plus beau
Où tout serait plus pur et transparent comme de l'eau
J'avais rêvé d'un monde
Où chacun s'aimerait
Mais j'ai ouvert les yeux et j'ai compris que je rêvais...

Une jeune fille gémit, frappée en plein cœur. Une vieille dame ferme les yeux. Peut-être, elle aussi, voit-elle des fleurs ? Un garçon au visage banal a les yeux pleins de larmes. Et elle aussi a les yeux pleins de larmes, et elle s'en veut, elle s'en veut ! à ne pas y croire. Et si quelqu'un la voyait ? Et si quelqu'un de ses amis (tu n'as pas d'amis), si quelqu'un de son milieu (tu veux rire ?), si quelqu'un, enfin, qui parlait son langage l'apercevait et s'imaginait qu'elle était en train de pleurer d'émotion en écoutant justement ces mots-là ?

Mais elle avait dit des mots de ce genre, ou presque... Le jour du bonheur, le jour des étoiles. « Quelle lumière extraordinaire... c'est comme magique... c'est comme si je t'avais toujours connu... je t'aime tant... je n'aurais jamais cru possible... » Et d'autres jours, et d'autres nuits. Mais c'était dans la vie! J'ai dit aussi pas mal de sottises de ce genre, en Mai 68, beaucoup de gens ont déliré un peu alors, et vu des fleurs où il n'y en avait pas. Mais l'église n'a pas flambé. Et est-ce que je le souhaitais? Pas plus que beaucoup de gens, qui s'étaient contentés de voir brûler une voiture, de faire quelques mètres avec un cortège, et de rentrer chez eux. Pas plus que ces gens-là qui pleurent, crient, tendent les mains vers le jeune homme qui chante, et puis qui vont rentrer chez eux, leur faim un peu apaisée par ces creuses nourritures...

Si encore il chantait la révolte, ce jeune homme qu'elle n'a jamais vu, et dont elle ne savait pas qu'il pouvait soulever cette ferveur angoissée, dont elle ne savait pas même qu'il existait! Mais il ne chante pas la révolte, car il ignore les choses contre lesquelles il pourrait se révolter. Le mépris dont on l'accable, l'envie dont on l'entoure, il n'en connaît pas les causes. La faillite de ceux qui le dénigrent, le ridiculisent, l'aveugle besoin de ceux qui l'idolâtrent parce qu'ils n'ont rien trouvé d'autre à aimer, il les ignore. Il « chante l'amour »? Il chante surtout la barbarie, l'ignorance édénique et sereine d'une civilisation admirable et

pourrissante. Il chante le triomphe de cette
barbarie nouvelle sur l'art déshydraté de son
temps, le triomphe d'une jeunesse niaise et
fervente sur une vieillesse qui détient toutes les
formules inutiles et raffinées, il chante le fossé
entre la foi des premiers âges, crasseuse,
ardente, iconoclaste, qui ressuscite, contre un
humanisme énervé qui se shoote au cerveau
pour tenter de survivre.

Et c'est fascinant, et c'est un peu terrible,
pense-t-elle, car elle est seule dans cette foule à
pleurer et à penser à la fois. Car il chante, ce
jeune homme, comme un offensé qui ne sait
pas le sens de l'injure qu'on lui lance, comme
un enfant sans haine qui mutile une statue,
joyeux. Et il chante, bien sûr, « Au théâtre ce
soir » contre Shakespeare et Audiberti et
Ionesco et Arrabal; mais il chante aussi les
soirs des doux humiliés qui ne demandent, de
l'espoir, que son ombre; et les colères qui
tombent comme un manteau des épaules trop
lasses, la fatigue qui veut rire et la fatigue qui
veut casser. Il chante la table en formica et le
calendrier des Postes contre Manessier et
Atlan et même Monet mais pas contre Modi-
gliani qui a sa petite chance dans les cœurs
simples parce que c'était un ivrogne sentimen-
tal. Il chante le bison magique et maladroit des
cavernes contre le Louvre et l'Orangerie et les

galeries de la rive gauche, mais pas contre le
trésor des Aztèques que même Tintin a con-
templé. Et il chante pour ceux qui regardent la
télé en mastiquant un peu de douceur ou un
peu de gaieté sous le tube de néon ou la
suspension désuète, et auxquels on s'efforce
avec bonté, à coups d'émissions culturelles et
de théâtres subventionnés, d'expliquer qu'il
faut rire au feu rouge et pleurer dans les clous.
Et ce faisant, il chante contre la culture et ce
qui fut la beauté; mais il chante sans dérision
et sans ironie. Ce n'est pas un fils de famille. Et
il ne sait pas qu'il chante aussi Savonarole
contre Botticelli.

— Madame, vous savez que, si vous sortez,
vous ne pourrez plus rentrer?

— Ça ne fait rien, merci.

Dans le remue-ménage de l'entracte elle est
sortie. L'homme à brassard sourit gentiment à
ses yeux rouges. Il doit croire... Qu'est-ce que
ça fait? Vous ne pourrez plus rentrer! Comme
si elle pouvait en avoir envie! Non, ça, c'est
trop. Je ne peux pas supporter ça!

Gilbert a raison.

Pleurer pour ça, s'emballer pour ça, frémir,
vénérer ça, c'est trop. Mais ne plus jamais
pleurer, ne plus s'emballer pour rien, plus ces
angoisses, ce retour au chaud néant originel
dans la soudaine fusion confiante des corps, le

balbutiement tiède et sans frein qui est une action de grâces... et l'élan qui naît d'une parole et s'accomplit dans une ivresse lucide... et l'enthousiasme qui unit ces êtres qui ne se connaissaient pas et... Donne un coup de pied au fond, émerge de tes souvenirs. Ce que tu viens de voir, c'était aussi de l'enthousiasme, de la fraternité, peut-être de l'amour, mais quelle dérision. Ce que je viens de voir, c'est moi ivre. C'est moi. Non, échapper à ça. Gilbert a raison. Je me cramponne à ce qui a été ma jeunesse, un moment privilégié, un délire comme ceux de Mai, la crise religieuse de quinze ans, la crise poétique de dix-huit, la crise politique de vingt, vingt-deux ans, l'amour (parce que pour l'amour, j'ai été un peu en retard) de vingt-quatre ans...Mais en dehors de la religion, de la poésie, de la politique-idéal, de l'amour, qu'est-ce qui vaut la peine qu'on s'y cramponne? On ne se cramponne plus, on s'adapte. C'est un mérite. On parle un langage qui décolle chaque jour un peu plus de la réalité sentie, perçue, et quand je dis on... C'est de Gilbert que je parle, de son grand corps maladroit, de ses yeux clairs, un peu enfoncés, d'un sérieux d'enfant, de sa voix sourde, de son désir patient, pour lui et pour les autres, de ce qui est le meilleur, le plus *honorable*... De Gilbert qui encore étudiant m'a offert cette bague à laquelle je tiens tant, cette bague sans valeur dont il a dit gravement : « Mais c'est une copie d'un bijou du Louvre... » De Gilbert qui a voulu m'offrir le Louvre, un appartement de fonction, une chaîne stéréo et sa Légion d'honneur, de Gilbert qui est intègre, altruiste, et qui cite Nizan : « Chacun trouve au fond de ses réveils tous les désordres du temps je ne sais combien de fois réduits à la médiocre échelle d'une inquiétude privée... »

Gilbert qui a raison. Je ne sais combien de fois réduits à la médiocre échelle... Réduits, mais, tout de même, en rapport? C'est bien à cause de ce Gilbert que j'aime, de cette poésie, de ce progressisme, de tout ce grand besoin de ma jeunesse que je consens à n'être que Mme Lefèvre, accomplissant son œuvre utile et prudente à A., chef-lieu de département? Parce que s'il n'y avait pas de rapport, je pourrais aussi bien rentrer dans la foule, qui sue, hurle, mange des bonbons et s'exalte pour un chanteur populaire!

C'est Jalabert qu'elle a entendu déclarer une fois, avec son agréable sourire stéréotypé, dont on ne sait jamais s'il contient de l'ironie ou pas : « Je ne lis qu'Attali, James et les bandes dessinées... » Ce sont des gens comme Jalabert qu'elle rencontre de plus en plus souvent, *en dehors de leurs fonctions.* Élégante désinvolture, langage d'initiés sans secret, capables, ces gens-là, d'un peu de désespoir bien porté, d'un peu de compassion sincère pour le besoin de foi et de fraternité d'une masse qui ne peut pas savoir... Ou alors, d'autres, enivrés de leurs bêtise volontaire comme on s'enivre de vin... Se croyant forts d'élaguer en eux tout ce qui les rendrait vulnérables, inefficaces.

Condamnée! Elle est condamnée si elle ne réagit pas, tout de suite. Car ce qui rend Gilbert inefficace et vulnérable, parfois, c'est elle! Et c'est bien ça qu'elle s'est mise à ressentir avec tant d'acuité, qu'elle a essayé de noyer dans l'alcool — puisqu'elle ne peut pas, elle, se satisfaire d'un chanteur-prophète à trois sous! Mais elle va trouver un biais! Quelque chose qui remplace. Qui remplace Gilbert, qui remplace l'amour! Il y a tout le reste, les beaux livres du passé qu'elle n'a pas relus depuis longtemps, la musique classique, si apaisante, les promenades silencieuses, parfumées d'encaustique, dans les musées déserts, où on reçoit à travers les siècles le message d'amis inconnus...

« Mais est-ce que tu t'entends penser? Est-ce que tu entends les mots avec lesquels tu te berces? Le mot *passé*, le mot *classique*, le mot *désert*, le mot *mort*? Puises-tu dans ta soif d'aujourd'hui le moindre réconfort dans le

Gilbert du passé, l'amour du passé, la communion de tes douze ans, l'exaltation avec tes *camarades* de 62? Est-ce que rien de ce qui est mort et passé peut consoler? »

Non, ce qu'il faut, c'est trouver des équivalents, la foi qui relie ton *inquiétude privée* aux *désordres du temps*. Mais je ne trouve pas! Je ne trouve pas! Je vois des visages qui s'enflamment, des slogans criés, et je vois des structures qui partout s'édifient, se sclérosent, avec la rapidité de la plante que l'on voit sur l'écran, en accéléré, croître, fleurir et se dessécher. Et quelque chose en moi hurle, résiste, et ne veut pas se dessécher. Comme ces gens qui sont là, qui hurlent, sans se demander si ça en vaut la peine, parce que ce n'est pas le problème, ce n'est *plus* le problème aujourd'hui de savoir pourquoi on hurle : on ne peut pas s'en empêcher, c'est tout. Mais il faut! Je veux Gilbert, je veux Gilbert à tout prix! Il *faut* que je trouve quelque chose!

Elle reste plantée là, devant le théâtre à l'intérieur duquel les gens sont heureux, bêtement. Quelques pas la mèneraient à la petite allée de marronniers qui débouche sur la Bulle. Entrer discrètement, se dissimuler dans la salle des expositions. Mireille a poussé la prévenance jusqu'à lui dire : « Il y a des lavabos et un miroir. Vous pourrez vous remettre un peu de poudre. » Et son regard noir prévenait, sévère : Attention! une incartade et je vous lâche! Mais la sévère Mireille, forte de ses évidences, vit dans le passé elle aussi. Ce n'est pas Bach, Haendel et la ligne bleue des Vosges, parce qu'elle n'est pas fille du professeur Gendron, mais c'est la famille, le clan, le bon droit et Luis Mariano. C'est la commune comme ç'aurait été la paroisse, car Mireille est héritière de l'anticléricalisme ardent de M. Combes. C'est le progrès comme ç'aurait été le salut. C'est du solide, les structures de Mireille, ça se contredit sereinement, ça s'insère toujours, c'est cimenté par une candeur intègre comme les éléments baroques d'un palais du facteur Cheval, il y a tout, et tout se tient. Mais est-ce qu'il n'y a plus que la bêtise pour sauver le monde?

Rien d'intermédiaire? Rien entre l'absurde jeune homme qui « chante l'amour » et Boulez et Pierre Henry qui le soir sous la lampe... non, franchement? Rien entre le policier de bas étage qu'on lit dans le métro et ces livres bien écrits, bien pensés, ingénieux, référentiels, avec d'arbitraires violences plaquées comme des mouches sur le visage d'une marquise, et qui laissent l'angoisse et l'insatisfaction au cœur? Rien entre les petits problèmes de section ou de réunions municipales, où l'utile se mélange au mesquin, où les préséances et les précautions forment des clans infranchissables comme les castes de Saint-Simon, et les grandes colères insensées qui envahissent la rue, sinon les nobles paroles télévisées prévisibles comme l'art de la fugue? Rien — le chaînon manquant, le fameux chaînon manquant — entre le drogué qui somnole et le révolté qui croit agir en brisant les cabines téléphoniques? Rien, un chaînon manquant, une femme manquante, la photo qui est tombée de l'album, entre le bébé nu sur sa peau de panthère et la femme de quarante ans marquée par les excès, rien entre la jeune fille ardente et sotte qui croyait au progrès et la femme alcoolique et désespérée qui laissait son amour la bafouer, se bafouer, sur un tas de linge sale?

Alors? se demande la grosse dame juchée sur ses talons trop hauts, est-ce qu'il faut vraiment que je résolve les « désordres de mon temps » pour venir à bout de ma « médiocre inquiétude privée », ou simplement que je fasse cent mètres et offre des petits fours?

Au début du siècle qu'on appela grand, comme Corneille peignait les hommes tels qu'ils devraient être, les seigneurs raffinés d'une cour cérémonieuse faisaient le voyage pour assister, dans l'église de Loudun, aux contorsions des religieuses possédées que l'on exorcisait. Des bourgeois y amenaient leur petite famille. Promenade du dimanche. Les religieuses écumaient, se roulaient par terre, se masturbaient avec des crucifix. Elles se lassèrent. C'était le diable ou une manifestation artistique, on ne sut jamais. Le plus clair de l'affaire fut qu'on brûla le curé. Au début des années 60 le peintre Yves Klein enduisit de peinture le corps d'une jeune femme et le roula sur des toiles vierges, provoquant une surprise passagère. On ne brûla personne. Le badaud qui passa, indigné, son parapluie au travers d'une toile impressionniste au début de notre siècle ne laissa pas de descendance quand apparurent les toiles monochromes — carré blanc, carré bleu. Sa descendance s'était déjà désintéressée de la peinture et de l'art de *son* temps, car son temps ne lui appartenait plus. Les amateurs de bûchers se sont spécialisés, sous d'autres latitudes.

Au cours du siècle qui vit les guerres de religion, et tant de paroles fondées sur tant de sang, un mystique obscur dans un petit couvent renonça par humilité au langage des hommes. Il ne s'exprima plus que par balbutiement, gémissement, vagissement d'enfant.

Il se traînait à quatre pattes et urinait sous lui.
On ne dit pas qu'il était fou, car ce siècle était
fort et pouvait digérer d'amères nourritures.
On parla d'humilité, pour ne pas dire désespoir.

Oh! supplient certains nostalgiques, rendez-
nous les indignations et les parapluies! On ne
leur rend que les bûchers.

Quand la Télévision arrive, la fête commence. Les trois camions blanc et bleu ont beau
être entrés par l'arrière, sur la placette, le
remue-ménage, les voix sonores et gaies, les
câbles qu'on déroule, les altercations cordiales
entre les techniciens de l'audio-visuel et ceux
de l'E.D.F. qui sont à l'œuvre attirent l'attention des badauds qui essaient de se faufiler par
les côtés, qu'on refoule, qui protestent gaie-
ment, s'appellent les uns les autres.

— Comment, on ne peut pas brancher? Et
alors, qu'est-ce que vous foutez? Je croyais que
c'était aujourd'hui, l'inauguration!

— On peut revenir dans huit jours, si vous y
tenez!

Levraut, le directeur de la maison de la
culture, jeune homme de cinquante ans en
blouson et foulard de soie dans l'échancrure
de la chemise, décontracté, bronzé, paradoxal,

drôle, agaçant, arrive au milieu de ce gâchis et s'étonne :

— Comment? On démolit et on repart à zéro?

— Vous vous croyez spirituel? tonne Maillard.

Bernard Blanc, qui s'occupe maintenant des émissions régionales après avoir assumé pendant deux ans la responsabilité des « Animaux et nous », le fameux Bernard Blanc, sourire radieux, dents blanches, l'émotion prompte et communicative, pas plus bête qu'un autre, dit-on, ne comprend pas.

— Enfin! Comment se fait-il? Puisque je suis là...

— On a un petit problème... soupire Maillard, un œil sur Gilbert qui est resté immobile, qui n'a pas la moindre idée de ce qu'ils vont *dire*.

— Un seul problème? s'étonne Levraut en riant.

« Je déteste ces pédés qui se croient malins! » pense Maillard avec désespoir. Levraut le prend à part.

— Sérieusement, il se passe quelque chose? Je puis vous être utile?

— Lefèvre a de mauvaises nouvelles de sa femme qui est en clinique, dit Maillard en reprenant les paroles mêmes de Marie-Christine.

— Oh! le pauvre! s'écrie Levraut, vite apitoyé.

Il va vers Gilbert avec cette spontanéité juvénile qui le caractérise. C'est un ancien danseur, et puis il a dirigé une troupe, s'est intéressé à des spectacles éducatifs de marionnettes, a écrit deux petits essais, fait de la télévision, un scénario de cinéma, tenu une chronique de variétés dans un journal important, et finalement s'est trouvé bombardé directeur de cette maison de la culture, officiellement parce qu'il a des compétences et est natif d'A., en fait parce qu'il est le cousin de Goyenetche. Tout le monde sait ça. Mais personne ne sait que grâce à cette nomination il va pouvoir enfin cesser de repasser lui-même ses foulards de soie, de faire des prodiges d'économie, de ne déjeuner que quand il est invité, et de travailler à cent besognes annexes en ayant l'air de ne rien faire.

— Gilbert, ça ne va pas, mon chou?

Le mot lui a échappé parce qu'il est sincèrement touché.

Gilbert sursaute, il n'a rien entendu. Il a juste perçu qu'on lui parlait. Il regarde Levraut avec ce que l'autre imagine être de l'hostilité. Qui en est peut-être. On le lui a plus ou moins imposé. Et ce type le tutoie, lui téléphone à toute heure, se fait mousser, donne des interviews... Gilbert

est loin de se douter que l'exubérance de
Jean-Hubert Levraut vient surtout du soulagement, celui d'un homme qui est seul, dans son
frivole courage, à savoir son âge, ses ressour-
ces, à savoir qu'il est par miracle, à cause d'un
lointain cousinage, sauvé de la chambre de
bonne et du cassoulet réchauffé sur le butane
du placard. Il va pouvoir devenir vieux. Il en
devient bon.

— Ce n'est peut-être pas si grave que ça?

C'est un peu beaucoup pour Gilbert, tout ça.
La compassion presque tendre de Levraut,
l'attention tendue de Marie-Christine, la cordialité inquiète de Maillard (« Enfin, c'est tout
de même pas à cause de quelques divergences
partisanes... On est dans le même bain, vieux
frère! Allons-y comme en 40!) et ces types
qu'on ne sait pas comment qualifier, dont on
ne sait pas ce qu'ils veulent, et l'E.D.F. qu'on ne
peut pas ne pas remarquer, et le représentant
du ministre qui va débarquer, et la Télé, la
sacro-sainte Télé, son intercesseur auprès du
public, la Télé sans laquelle il ne sera jamais
rien de plus que le maire d'A., sans laquelle il
n'atteindra jamais cette dimension qu'il mérite, cette efficacité nationale qu'il saura, lui,
assumer, la Télé sans laquelle son courage, son
sang-froid, sa bonne volonté, ses vues larges et
objectives sur une politique nouvelle n'existe-

ront jamais qu'à titre *privé* — car A. c'est sa maison, sa famille, et il n'y peut faire que du bricolage...

C'est la première fois, avec cette maison de la culture, qu'il a l'impression de dépasser un peu le niveau communal. Sagement neutre en tant que député — il se ménage, il attend —, sa patience n'a de prix que si, un jour, elle révèle un projet; sagement utilitaire en tant que maire, mais sa mairie, si elle est un levier, ne correspond pas à son ambition : apporter ou du moins proposer aux hommes de son pays, à lui-même quelque chose qui, sans violence aveugle, sans conservatisme égoïste, recrée une unité, une foi, un langage. Des signes, des routes, des directions communes. Des lois acceptées, acceptables, qui bannissent autant qu'il est possible l'injustice et l'absurde. C'est une grande ambition que celle de Gilbert.

Et à ce moment précis, dans le soleil déclinant de la placette, dans le tohu-bohu qui l'entoure, soumis à ces regards auxquels il va falloir proposer une image, il voit, en un éclair foudroyant comme celui qui convainquit Paul, que cette ambition noble exclut toute générosité.

Parce que la générosité, c'est l'absurde, l'injuste, la violence, le fanatisme, l'arbitraire, la dictature, la folie, l'amour : Jeannette.

Il prend son souffle, gonfle d'air sa poitrine de géant un peu petit et transforme un désespoir en paroles :

— Ma pauvre Jeannette, dit-il de sa voix sourde, n'a plus, je te le dis entre nous, n'a plus tout à fait sa raison.

Il croit savoir ce qu'il renie, il croit savoir ce qu'il conquiert; et sans attendre de réponse, il va vers Maillard qui lui fait des signes désespérés. Ils s'isolent, pour se concerter, avec Bernard Blanc.

— Ça tiendra ce que ça tiendra, hein? dit un ouvrier en bleu, à la cantonade.

De sa pochette, assortie au foulard, Jean-Hubert Levraut se tamponne délicatement le front.

— Mon Dieu, mon Dieu! Notre pauvre Gilbert! dit-il à Marie-Christine. Comme il doit souffrir!

— Affreusement, dit-elle.

Elle dit toujours la vérité.

Un peu de topographie. Au début du parc il y a les grilles dorées, larges ouvertes, et les guichets où l'on vend le « billet global ». Le billet global donne droit à l'entrée, naturellement, à trois dégustations gratuites de vin de pays (ce qui augmente d'autant la valeur des billets de parents accompagnés d'enfants : chaque enfant rapportant trois verres! comme les allocations!), au spectacle du chanteur populaire, aux autos tamponneuses, au tir et au manège de chevaux de bois, trois tours (là, ce sont les parents qui rapportent, à moins qu'ils n'aient une passion pour les autos tamponneuses) au défilé des majorettes et enfin, au début de la soirée, à l'illumination et à l'entrée dans la maison de la culture.

— Retransmise sur FR 3, hein?

— On sera peut-être filmé?

Une fois épuisées les joies de la contemplation du billet global (ce qui crée des embouteillages à l'entrée), on traverse une pelouse plantée d'arbres séculaires et de bancs municipaux, où ne s'attardent que quelques couples particulièrement épris. L'ovale allongé du parc, dont l'extrémité A est délimitée par les grilles (chef-d'œuvre de Renassé) et l'extrémité B coupée dorénavant par la Bulle, au bout d'une petite allée de marronniers somptueusement appelée l'Esplanade, s'étend bourré à ras bord de couleurs et de bruits, d'odeurs et de brefs petits bonheurs qui éclatent comme des ballons. Vers l'extrémité B, du côté gauche de l'Esplanade, le théâtre de verdure, ancienne arène romaine transformée à peu de frais en podium et où se produisent, l'été, des artistes de variétés. Le théâtre de verdure a suffi jusque-là aux appétits culturels des habitants d'A. Mais puisque c'est gratuit, et puisqu'on sera filmé, la foule commence à délaisser les stands pour s'écouler lentement vers l'Esplanade.

— Attendez! Attendez les majorettes!

— Et Martine et Patricia qui sont au spectacle!

— Elles ont pu entrer, elles ont de la chance! Mais ça va sortir...

Dernière chanson, reprise en chœur par des voix fausses et joyeuses. Applaudissements. Des cris : « Une autre! Une autre! » combattus par d'autres cris : « Les majorettes! Voilà les majorettes! »

L'E.D.F. a fait merveille, les câbles de la T.V. sont branchés, ils contournent la Bulle et aboutissent sur le devant. On pourra filmer l'ouverture solennelle des portes — qui pour l'instant sont ouvertes, mais qu'on va refermer —, l'illumination, le rush de la foule, les discours.

Bernard Blanc prend position devant les portes. Comme il double son émission régionale d'une émission de radio, il installe son Nagra sur un muret et interviewe les badauds.

— Qu'est-ce que c'est, pour vous, la Culture?

Derrière, sur la placette, le remue-ménage s'apaise.

— Sauvés, mais c'était de justesse... dit Maillard. Sans les camarades...

Il attend une réaction de Gilbert qui ne se produit pas. Il est vraiment sonné. Levraut lui tapote l'épaule.

— Allons, Gilbert, allons...

Ces attendrissements sont hors de saison.

— Ecoute, Gilbert, dit Maillard, qui se met à le tutoyer aussi, on ne peut plus flancher maintenant. Le processus est engagé. L'émission va démarrer, le type du ministère va arriver, il faut que tu sois prêt à parler, à le recevoir... Fais ton boulot, quoi. Les questions personnelles ne peuvent pas jouer...

Gilbert sursaute.

— Quelles questions personnelles?

— Tu penses bien qu'on est un peu au courant... Ta bonne femme...

— Nous te comprenons, ô combien... soupire Levraut. Mais enfin...

— On est tous dans le même bain...

Ces visages penchés sur lui qui perdent soudain leur masque convenu, contrainte, ruse, fausse jovialité, chez Maillard, élégante condescendance, frivole enjouement, chez Levrault, frappent Gilbert, le frappent comme deux gifles. Ce sont des visages d'hommes penchés sur une civière, sur un agonisant qui ne peut plus susciter d'autre sentiment que la fraternité. Le meilleur et le pire de son courage se réveillent en Gilbert, le redressent, le durcissent. Non, cette fraternité-là, il ne l'accepte pas. Ni, derrière ses adversaires, le groupe ami de Jalabert, Buckerman et Ferrand, comme un groupe de pleureuses.

— Un moment, dit-il avec peine. Ça va aller. Ça va.

Une femme nue, qui pleure... Il lui tourne le dos. Courage ou lâcheté, est-ce qu'on sait? « C'est mon chemin », se dit-il farouchement. « C'est mon chemin. »

— Où est Marie-Christine?

— Allée vérifier les tables, au foyer, dit Ferrand. Et avec cet instinct presque féminin qu'il dissimule d'habitude : — Elle était sûre que tu te reprendrais.

Elle était sûre. *Elle* pleurait... L'importance de l'élément féminin dans la vie d'un homme comme Gilbert. Un homme complet, courageux, ambitieux, d'une bonté sans sensiblerie, capable de lucidité et capable d'aveuglement au moment où la lucidité ou l'aveuglement sont des armes nécessaires... Presque un grand homme, en somme. Est-ce que ces deux femmes ne l'ont pas à son insu rendu conscient d'un déchirement en lui, trop conscient? pense Claude Ferrand. La politique, oui, la politique avec son vocabulaire rend assez bien cela, l'*opposition* exigeant pour exister la présence de quelque chose à quoi s'opposer, et naturellement il se trouvera toujours quelque forcené pour les dire complices. Mais complices comme deux forces qui font naître l'étincelle, le mouvement, la vie... Et ces deux forces sont si rarement aujourd'hui réunies en un seul homme — on peut leur donner toutes sortes de noms — que le fait de les sentir en Gilbert avait donné à l'homme des médias un immense espoir, très différent de celui des Jalabert, des Buckerman et autres militants professionnels.

En cet instant, où visiblement Gilbert se ressaisit, où les autres se rassérènent, une grande crainte le saisit. « J'ai fait pour le mieux. J'ai dû prendre une décision... » Mais de cette scission qui s'opère en Gilbert, Claude Ferrand est vaguement conscient, avec la sensibilité soudaine qui s'aiguise dans les moments de crise, et il se demande si même un scandale n'aurait pas mieux valu.

— Assez de temps perdu, dit Maillard. Et maintenant, qu'est-ce qu'on va raconter?

L'événement n'a pas encore eu lieu, n'aura peut-être pas lieu, mais il doit être raconté. A la surface, la Télévision et tout son appareillage, son joyeux désordre, ses techniciens, sa maquilleuse oisive et charmante, son ingénieur du son qui craint les échos, son réalisateur qui prend quelques notes; dans le hall de la Bulle, le maire, son premier adjoint, le directeur et animateur qui attendent le représentant du ministre; dans les couloirs trop étroits de la Bulle, des serveurs en veston blanc qui gagnent les uns le buffet où sera servi le vin d'honneur, celui auquel tout le monde, ou presque, a droit, les autres qui vont au foyer, salle plus retirée où les élus pénétreront après les discours d'usage; dans les caves... ah! dans les caves, on ne sait pas. Comme on a fait fonctionner les portes coupe-feu, on n'entend rien.

— C'est le sachet-surprise, pour après la fête, a dit Maillard.

Sachet-surprise ou matrice, pouvant rejeter n'importe quoi hors de ses flancs. La Cave. On peut tout imaginer.

Parents ou amis du malheureux Sanchez ou Nuñez, venus pour une manifestation plus bruyante que dangereuse, et ahuris de se trouver pris à leur propre piège, et jargonnant, et s'affolant, et prenant peur de ce qui pourrait n'être qu'un avant-goût de prison. On pourrait imaginer cela. On a beau être dans une municipalité de gauche, est-ce qu'on sait, quand on débarque sans carte de travail, sans carte de séjour, d'un car ou d'une bétaillère, est-ce qu'ils sauraient, ces fantômes, ce qui pourrait leur arriver? On sait qu'on n'a pas les « papiers », ça on le sait, et que, dans ces temps durs où nous vivons, c'est la faute originelle. Et ce serait contre cette faute qui les réduit à l'état d'hommes sans qualités, d'hommes sans identité, qu'ils auraient pu vouloir protester, ces hommes-tout-de-même, plus que contre la mort de Lopez ou de Sanchez, leur frère ou leur cousin; peut-être en auraient-ils simplement entendu parler, de Lopez ou de Sanchez, mort d'être grimpé sans casque de protection sur un échafaudage — parce qu'il n'y en avait pas assez, ou parce qu'il n'avait pas eu la patience d'attendre que ces casques arrivent, ou parce qu'il aurait voulu montrer aux copains qu'il n'avait peur de rien, ça leur arrive, à ces gens-là, on a sa fierté, ou parce qu'il aurait bu un coup de trop, on a ses faiblesses. Et ce serait ce droit à la fierté, ce droit à la faiblesse qu'ils auraient voulu proclamer, pour eux plus que pour Lopez ou

Nuñez qui était encore un privilégié, car il était mort avec un numéro de Sécurité sociale, il était mort *reconnu*.

Ce n'est qu'une hypothèse. Une autre : les terroristes. Celle-là est même presque décevante, parce que trop attendue, trop répétitive. Voyons, tous les désillusionnés de section, tous les défroqués de cellule, ceux qui ont vu l'envers de la médaille et ceux qui, farouchement, l'incrustent dans leur paume afin de ne jamais avoir à la retourner, sont des terroristes en puissance. Ils pourraient tous y être, les caves ne seraient pas assez grandes, il faudrait comme à Lourdes des églises souterraines! Et d'infinis dépôts pour y mettre leurs bombes. Chacun la sienne, sans trop d'illusion : elles se sont tellement dévaluées! Et si vite! Quand on pense au bruit que fit en 1893 la bombe artisanale, inefficace, de l'anarchiste Vaillant! Célèbre pour une bombe! (Il est dans le Petit Larousse.) On n'en est plus là. Le poseur de bombe si motivé soit-il est ramené au niveau de l'auteur d'un crime passionnel. Coupable, certes, mais enfin, cocu. Ça excuse. Rien donc qui excite l'imagination dans l'idée de terroristes en dessous de la maison de la culture d'A. La culture prise en otage. Elle n'est pas la première. Rançon : le droit à la parole, le droit d'antenne, sans aucun doute. On peut trouver que le droit à la fierté est un besoin plus primordial.

Mais Guerraïtis a des fantasmes plus épiques. Fort de la naïveté même de ceux qui le persécutèrent pour avoir voulu, comme on plante un drapeau, planter ses tours de ciment armé au milieu des favellas endormies; fort de la symbolique de ses *unités d'habitation*, il imagine des militaires ardents et fanatiques, prêts à sauter eux-mêmes au milieu des débris de la Bulle, unité de langage, unité de pensée, conçue par le Messie Guerraïtis. Il les voit brutaux et illettrés, reîtres installés comme chez eux dans ces profondeurs viscérales, les bottes sur la table, prêts à soutenir un siège, parmi les bouteilles profanées de vin de messe et les mitraillettes graissées. Mais les monstres qu'il imagine n'existent que sous des climats préhistoriques. Alors qu'il s'apprête, Don Quichotte au physique de Sancho, à les combattre, la machine à remonter le temps l'a amené à l'époque glaciaire. Les monstres sont sortis des caves et des cavernes. Ce sont les enfants qui portent des bottes et des insignes avec lesquels ils se font peur. Et si les monstres que craint Guerraïtis apparaissaient (mais on sait que ce sont des fables), ils seraient au grand air, sagement travestis en fonctionnaires, mâchonnant du papier et coupant des rubans.

Et nulle persécution ne menacerait ses *unités d'habitation*. Ils auraient inventé l'unité qui sépare.

— Reste les étudiants...
— Pas bon. Ils se soutiennent. Et il faudra les identifier.
— Les intellectuels, artistes mécontents de ne pas avoir été sélectionnés, membres de la Guilde trouvant la Bulle trop moderne, membres de la Revue *Zéro plus un* trouvant l'art, récupéré...
— A la rigueur, mais...
— Les écolos?
— Jamais! On en a trop besoin, et puis, franchement, Fork est un sympathisant, presqu'un copain...
— Pourquoi pas les pédés? suggère Levraut d'une voix à dessein flûtée.
— L'heure n'est pas à la rigolade, dit Maillard.

Mais il rit un peu, parce qu'il voit Gilbert prêt à coopérer, et que c'est lui qui l'a regonflé, et pas son équipe de pisse-froid.

— Vous connaissez l'opportunisme de Blanc? Il va sauter sur l'occasion pour insinuer que rien n'est prêt, qu'on gaspille les deniers de l'Etat dans les municipalités de gauche, que nous n'emportons pas l'adhésion générale, il y a du reste des gens qui, tout acquis à l'idée d'une maison de la culture, n'ont pas admis que ce ne soit pas un architecte français...

— Oh! gémit Guerraïtis.

— ... ni que la conception en soit aussi peu traditionnelle...

— Ça! dit Buckerman.

— Mais est-ce qu'on n'est pas convenu de dire à la presse et donc à Blanc, à tout le monde, que c'est un accident? Une panne, je ne sais pas, ça doit arriver?

— Et les ouvriers de l'E.D.F.? Ils vont taire leur gueule? Un jour ou deux, peut-être, et puis ils lâcheront tout à bobonne! Et voilà le tour de ville qui commence. Billet global, comme à l'entrée.

C'est étonnant, pense Gilbert dans son cerveau cotonneux, comme Maillard est devenu vulgaire depuis qu'on s'est rapproché. C'est peut-être une façon de le manifester.

— Un accident! Mais j'ai l'air d'un incapable, d'un...

Guerraïtis cherche un qualificatif assez dramatique et n'en trouve pas.

— De toute façon, un accident, ça tiendra trois jours, et après... pfuut! Et comme on l'aura caché, ça aura l'air d'une magouille pas possible.

— Est-ce qu'on ne peut pas parler à la Télé,
sans insister, de difficultés techniques, et
demain, tranquillement, bâtir notre scénario
pour la presse?

— Blanc ne nous pardonnera pas ça, dit
Claude Ferrand. Ou il n'y croira pas, il reviendra fouiner, et ça fera du bruit, ou il pensera
qu'on l'a écarté d'un scoop à cause de ses
opinions, et on peut s'attendre à une entour-
loupe de première.

Comme ils se relâchent, tous! pense Gilbert.
Moi j'ai comme les nerfs coupés. Pourvu que
j'arrive au bout de mon discours!

— Mais demain matin, dit Jalabert de sa
voix agréable, nous saurions qui ils sont...

Pour la seconde fois, Gilbert, qui ne crie
jamais, perd le contrôle de lui-même. C'est
vrai, aussi, entouré d'incapables, pleins d'une
pitié imbécile... Jeannette! Dont j'ai dit, moi,
qu'elle n'avait plus tout à fait sa raison... Même
si elle était folle à lier, aurais-je dû la trahir?
Est-ce que je suis un salaud? Est-ce qu'il est
nécessaire, désormais, que je sois un salaud?

— Mais vous êtes donc complètement
abruti? hurle-t-il à Jalabert médusé. Qu'est-ce
que ça peut foutre, que nous sachions qui c'est,
puisque nous sommes en train de le décider?

Et tout le monde se tait, même Maillard,

avec une sorte de respect, devant ce nouvel homme qui naît.

Marie-Christine est entrée d'un pas rapide dans le hall, zigzaguant parmi les caméras, les tréteaux qu'on amène pour le vin d'honneur, les spots que l'on déplace, les plantes vertes que l'on bouscule. Le beau pavé en ardoise amoureusement choisi par Guerraïtis est gris, souillé. S'il y a affluence, il risque d'être toujours comme cela, pense Marie-Christine. Elle n'est pas indifférente à la souffrance de Gilbert, à la tâche qui lui reste à accomplir. Mais son cerveau enregistre toujours les détails. C'est peut-être une façon de se préserver? En tout cas, dans ce va-et-vient, Jeannette n'aura eu aucun mal à se faufiler jusqu'à la salle des expositions, déserte. La situation se présente favorablement. Ce qu'il y a c'est que les officiels commenceront certainement par visiter cette salle, avant le théâtre, dans la salle duquel auront lieu les discours, et le vin d'honneur, qui doit être servi dans le hall. Unité de temps et de lieu. Toute moderne qu'elle soit, Marie-Christine n'est pas si éloignée qu'elle le croit des classiques français. Cet affrontement bref et décisif — du moins l'espère-t-elle — lui plaît. Elle éprouve aussi un peu de mélancolie, mais c'est parce qu'elle est sûre de vaincre.

Des fleurs, des clowns, Blanche-Neige, des maisonnettes... Jeannette se promène sans plaisir au milieu de l'exposition. Dessins, pastels, aquarelles des enfants des écoles. Rien de bien inattendu. « Les miennes étaient tout de même plus belles... » Encore la vieille dame. Elle n'aurait jamais cru qu'elle y repenserait jamais, à cette vieille dame. Ce ne sont pas des fleurs imaginaires qu'a dessinées Guérin Fernand, sept ans, école des Burons. Ce sont ce que le docteur Lévy appelle de vraies fleurs. Des fleurs indifférentes, qui n'ont rien à voir avec vous, qui poussent toutes seules dans les massifs et dans les pages des livres où elles ont un nom latin. Guérin Fernand doit être un petit garçon bien adapté, content de vivre. Un petit garçon qui ferait la joie du docteur Lévy. Comme si être content de vivre était une preuve de santé! Enfin, on peut faire semblant. « Je vais faire comme la vieille dame. Parce que je suis sûre qu'elle faisait semblant. Et je regarderai Gilbert, à la dérobée, pour voir si notre amour repousse. » Elle se demande comment le docteur Lévy pouvait affirmer avec tant d'assurance que la vieille dame était guérie. Ou Jeannette. Qu'est-ce qu'il en sait? Il a donné un nom à leur mal, voilà tout. On définit, on explique, on déconnecte; et quand on est bien déconnecté, on est guéri. On est même tellement guéri qu'on n'a plus envie de vivre.

Son soutien-gorge la coupe sous les seins. La ceinture du tailleur aussi. Et toujours ces souliers! Si seulement ils avaient eu l'idée d'y mettre quelques chaises, dans leur exposition! Mais il n'y en a qu'une, encadrée. Bredin Denis, six ans, école de Fleury. Drôle de sujet, une chaise. Ça ne repose pas les pieds mais ça repose un peu de Blanche-Neige. Cette chaise dessinée de guingois, à l'équilibre impossible, tout à coup l'émeut. Ainsi il l'a vue, ainsi il l'a dessinée, sa chaise, Bredin Denis. Esprit vierge sur la cire duquel on n'a pas imprimé encore de notion des valeurs, et qu'une fleur est plus belle qu'une chaise.

Pourquoi, passé un certain âge, cesse-t-on de dessiner? Les objets ont perdu leur innocence. Ils sont pleins d'idées. Et puis il y a un âge où on fait des vers, et un âge où on cesse d'en faire, parce qu'on se demande s'ils sont bons. Innocence de Bredin Denis, qui dessine une chaise invraisemblable et laide, pour le plaisir de dessiner et parce que cette chaise existe. Innocence d'un chanteur populaire qui proclame qu'*il faut s'aimer davantage*, sans se soucier apparemment de le dire avec plus de force ou de raffinement. Innocence du public qui s'émeut. Innocence perdue de Jeannette, la jeune fille un peu sotte, mais si enviable, qui écrivait dans son journal intime, quelques semaines après avoir rencontré Gilbert (et adhéré, aussi, à la section du cinquième) : « Maintenant, je commence à vivre intensément. »

Pourquoi cette impression d'inéluctable? Pourquoi de s'être ainsi vêtue, de s'être fait ainsi coiffer, ressent-elle un trouble plus profond que celui de l'épouse aimante qui fait, par amour, quelques concessions? Un trouble aussi profond que si elle laissait un pays derrière elle, que si elle entrait en religion? « Je renonce à Satan, à ses pompes et à ses œuvres... » Petite fille, elle a demandé un jour à un baptême : « Mais comment il peut renoncer à Satan, puisqu'il ne le connaît pas? » Le mot a fait rire. Mais on ne lui a pas répondu. « Je renonce à Satan... » Peut-être, Satan, était-ce boire, rêver. Je veux le croire avec toute la ferveur que j'avais à Sainte-Bernadette. Faites, mon Dieu, que je le croie, pour retrouver Gilbert! Mais on renonce à Satan pour être baptisé. Pour devenir un élu, un chrétien, pour avoir accès aux sacrements, c'est ce qu'on m'a appris, n'est-ce pas? Et ça, est-ce que j'arrive à le croire? Le sacrement du mariage? Le sacrement du bureau de vote? Le sacrement du verbe, qui ne s'est pas fait chair mais qui l'a supplantée, gagnant du terrain sans cesse, non plus verbe divin mais parole humaine, et non seulement parole mais idée, mais désincarnation, terrible épidémie du microbe Galilée... Si seulement, mon pauvre vieux, tu avais dit : la terre est ronde, mais elle est plate aussi, elle est en même temps ronde et plate, comme je la pense et comme je la sens, tu serais mon saint préféré, mon vieux Galilée, et j'irais te mettre un cierge, et le sacré serait partout, dans un chapelet de bigote, dans un bulletin de vote, dans des escarpins qui font mal, et même dans une maison de la culture...

Quelqu'un, derrière elle, referme douce-ment la porte. Elle se retourne, n'a pas un sursaut. Trop lasse, peut-être. Marie-Chris-tine.

— Comme c'est courageux à vous d'être venue, dit-elle en s'avançant vers Jeannette.

La première pensée de Jeannette, quand elle voit Marie-Christine, n'est ni : « Qu'est-ce qu'elle fait là? » ni : « Qui l'a prévenue? », mais, curieusement, en regardant ce corps souple qui s'approche, élégant sans affectation : « C'est avec cette femme que Gilbert fait l'amour, aussi... » Et son premier sentiment n'est pas celui du danger, mais d'une sorte de consanguinité dégoûtée. Tout cela est si banal! La femme et la maîtresse, la brune et la blonde, l'ancien amour et le nouveau, « il faudrait s'aimer davantage »... Mais est-ce que le banal n'est pas le dernier refuge de l'essentiel?

Marie-Christine est si près d'elle, à portée de main, que Jeannette respire son odeur. Citronnelle. Eau de toilette plutôt que parfum. Ce n'est pas une fille à se parfumer. Citronnelle sur les mains de Gilbert, parfois. Comment peut-on penser à de si petits détails quand sa vie est en jeu? Mais où est-ce que je prends que ma vie est en jeu?

Marie-Christine est calme, un peu triste, gracieuse, elle fait porter le poids de son joli corps sur une jambe, comme un mannequin. Jeannette, le dos à la lumière de la baie, est immobile, un bloc.

— Courageux, vraiment? dit-elle.

Elle s'efforce d'être prudente. Elle sait par expérience que ses colères de femme violente et bonne n'aboutissent à rien, qu'à sa propre défaite.

— Mais oui, dit Marie-Christine d'un air encourageant. J'ai toujours trouvé que vous étiez une femme courageuse. Rien que le fait d'aller, volontairement, dans cette clinique...

« On dit qu'elle a de la classe, pense Jeannette, frivole avec application mais... on sent tout de même que ce n'est pas inné. Elle fait un peu jolie institutrice. » Ne pas comprendre les pièges que va lui tendre Marie-Christine est sans doute la meilleure façon de leur échapper.

— Et de venir ici... Très bien, le tailleur, la coiffure... Vraiment très bien...

— C'est vous qui êtes gentille d'être venue ici pour me dire ça, dit Jeannette.

Elle manie mal l'ironie, mais enfin, il ne s'agit que de gagner du temps. La fanfare se rapproche. L'heure se rapproche où les officiels vont arriver sur le devant de la Bulle. Quand elle entendra fonctionner les glissières gigantesques, ce sera le moment.

— Je ne suis pas venue ici pour vous dire cela.

— Non?

— Je suis venue pour vous dire que votre tailleur, vos bouclettes, vos escarpins, et votre troisième désintoxication, ça ne sert à rien. Je ne vous dis pas ça méchamment. J'ai plutôt de la sympathie pour vous.

— Merci!

(C'est fou, avec son petit tailleur clair, son chignon bas, son air convenable, ce qu'elle fait *légitime*, elle! Ça doit être comme ça qu'elle a eu Mireille. Quelle salope, celle-là! Ne pas se fâcher.)

— Mais, vous voyez, Jeannette, même si ça marchait aujourd'hui, ça ne servirait à rien. Ce serait toujours à recommencer. Vous devriez renoncer.

— Je pensais bien que vous n'alliez pas me dire : Bravo! Mais je tenterai ma chance, quoi que vous en pensiez.

— Est-ce que c'est une chance? demande Marie-Christine.

Elle fait quelques pas, sans hâte, comme si elle avait la vie devant elle. Qu'est-ce qui lui donne cette assurance, enfin? Et pourquoi a-t-elle choisi aujourd'hui plutôt que le jour de Compiègne, le jour de l'émission Regards, où... Marie-Christine s'arrête, se retourne vers elle.

— C'est la troisième fois que vous sortez d'une désintoxication, dit-elle avec netteté. Donc la troisième fois que vous avez des problèmes dans le cours d'une vie qu'on pourrait estimer heureuse. Vous ne croyez pas que ça veut dire quelque chose? Et que vous êtes mal embarquée?

— Au moins, vous allez droit au but, dit Jeannette.

Jambes lourdes, pieds douloureux, elle se

sent laide, boudinée; mais elle ne bougera pas. Sa seule défense est dans son inertie, son poids.

— Et mon but, vous croyez que c'est de vous prendre votre mari? dit Marie-Christine.

Et elle sourit, elle aussi, sa pensée rejoignant sans qu'elle s'en doute celle de Jeannette, devant l'extrême banalité de ces mots.

— Ce n'est pas vrai? demande Jeannette, décontenancée.

— Si.

Elle a dit : *si*, avec une brutalité calculée, et laisse le silence s'installer un moment, incongru, entre elles, au milieu des maisonnettes bariolées, des bouquets et des clowns qui grimacent aux murs.

— Regardez-vous. C'est vrai, vous êtes désintoxiquée, et présentable, et pleine de bonne volonté. Mais est-ce que c'est de vous que Gilbert a besoin? Vous l'aimez. Mais est-ce que ça lui rend service? Est-ce que ça le rend heureux? Vous n'oseriez pas me dire oui. Au fond, c'est la vie de Gilbert qui ne vous convient pas.

— Et vous voyez un genre de vie qui me conviendrait, Marie-Christine?

— Non, dit Marie-Christine loyalement. Mais c'est pour lui que je me bats. Oh! pour moi aussi, bien sûr. Mais surtout pour lui. Lui, son genre de vie lui convient. Il est efficace, il est convaincu, il a des idées, de l'avenir...

— Un seul point noir, moi?

— Je le crois. Je vous jure que je le crois sincèrement. (Et elle a l'air en effet, sincère.) Et pas seulement au point de vue de sa carrière. Les incidents que vous avez soulevés, que vous pourriez soulever, sont, pour l'instant, d'importance minime. Non, ce qui me paraît vraiment grave, c'est que vous le démobilisez. Vous minez ses motivations.

— Motivations... Quel langage d'amoureuse!

— Est-ce que vous pensiez que j'allais me rouler à vos pieds?

Elle a un air de défi, soudain un peu puéril, et brusquement Jeannette se dit : « Comme elle est jeune! » Jeune, oui, toute proche encore de la petite fille fine et froide qui se jurait, dans l'arrière-salle d'un café enfumé, de trouver le maître mot qui lui permettrait de s'échapper intacte.

Dehors, la rumeur augmente, la foule s'amasse, bientôt la fanfare, les portes se referment et se rouvrent, la coupole s'illumine... Gilbert dit au préfet, au ministre, enfin à celui qui sera là, à tous : « Ma femme, Jeannette... »

— Je suis sa femme, depuis dix-neuf ans, dit-elle pesamment.

Marie-Christine sent cette volonté en face d'elle, de ne pas donner prise, de ne pas se laisser entamer. Elle fonce. « Je n'ai plus le choix. »

— Et il a résisté jusqu'ici? dit-elle avec insolence. Mais les situations changent. Il y a des indices, des bruits de couloir, qui en disent plus long que *le Journal officiel*. D'ici deux ans, Gilbert sera à un tournant de sa carrière. Il a eu une politique à la fois hardie et prudente. Mais il viendra un moment où il lui faudra foncer. Et si je vous dis : il n'en sera peut-être pas capable, est-ce que vous réalisez que vous en serez en grande partie responsable?

Et comme Jeannette ne répond pas, elle commence, Marie-Christine, à s'échauffer, car elle a décidé que c'était aujourd'hui qu'elle aurait cette conversation avec Jeannette, parce qu'elle sent que si elle la laisse s'échapper, Jeannette fuira toute rencontre désormais... et puis parce qu'elle ne peut pas, même un jour, même une heure, supporter d'être, par cette femme bovine et tragique, vaincue.

— Vous voyez bien que je vous parle franchement, Jeannette? Est-ce que vous ne pouvez pas me répondre de même? Gilbert est très populaire ici, sa gestion est irréprochable, sa personnalité appréciée. A la Chambre, il a fait

quelques interventions remarquées, pas trop.
Il peut aller beaucoup plus loin que vous ne
croyez. Est-ce que vous le freinez consciemment, ou non? Est-ce que vous faites exprès
d'afficher votre... votre inadaptation, ou non?
Est-ce que vous *voulez* le couler?

— Gilbert n'est pas qu'un homme politique... dit Jeannette avec moins d'assurance.

Elle sent tout de suite qu'elle a eu tort de
répondre, il fallait se taire, elle se déplace un
peu, lourdement, vers la gauche, et le soleil
couchant frappe Marie-Christine en plein visage. Mais la jeune femme ne bouge pas, raidie,
et l'effort qu'elle fait pour rester là, droite dans
la lumière, lui donne soudain un visage d'héroïne.

— Non, il n'est pas qu'un homme politique.
Sinon, je n'aurais pas à le défendre. Sinon, il ne
souffrirait pas ce qu'il souffre, à cause de
vous.

Elle a frappé en plein cœur, en plein ventre.
Il faut en finir, abattre l'animal malade qui ne
peut pas survivre.

Jeannette a eu un sursaut, un bref, très bref,
gémissement. Le coup a porté mais il n'est pas
mortel.

— Et il vous aime. Oui, il vous aime, d'une
certaine façon. Et c'est pour cela qu'il vous a
laissée en arriver là, en arriver à ce que les

gens pensent de vous : une alcoolique, une demi-folle. Parce que si vous étiez sobre et lucide tout le temps, il ne pourrait pas vous supporter. Le désespoir, c'est contagieux.

Dehors, la fanfare éclate.

La foule s'est regroupée derrière la fanfare et le cortège des majorettes qui ont défilé dans l'enthousiasme général. Puis, comme pour une photo scolaire, Bernard Blanc, un moment tout-puissant, a groupé les participants à la fête de la Culture. A gauche la fanfare et les majorettes, à droite, le conseil municipal, et les enseignants qui ont organisé l'exposition, au milieu, le maire et son premier adjoint qui vont accueillir le représentant du ministre, Jean-Georges de Saint-Julien. Affable et condescendant du haut de sa cascade de prénoms, diplomate plutôt qu'homme politique dans son allure, M. de Saint-Julien est arrivé une dizaine de minutes plus tôt. Il a serré la main du maire, de Levraut, de l'équipe, et même de Maillard qui s'est, ensuite, éclipsé très vite. Mais ces serrements de mains et propos aimables...
« — Le ministre a bien voulu rédiger lui-même un texte bref mais très significatif, une sorte de lettre ouverte qui... — Stop! Un peu de silence! » a crié Bernard Blanc. Et malgré les

trente-cinq ans distingués et les décorations de
M. de Saint-Julien, l'angoisse de Gilbert qui lui
bat les tempes, les susceptibilités politiques ou
provinciales qui se rebiffent sous les costumes
rayés, on se tait, on se groupe. M. de Saint-
Julien « arrivera » quand les caméras seront
prêtes.

— On aurait tout de même pu faire enlever
ces affiches, chuchote Claude Ferrand, en
désignant l'esplanade, où chaque marronnier,
ou presque, porte un panonceau à l'effigie
d'un jeune homme en blanc et or, avec l'ins-
cription « *Il chante l'Amour* ».

Gilbert regarde vers les arbres et distingue :
« *chante l'Amour* ».

— Grotesque!

Le technicien, juché sur sa caméra, qui
justement avance vers le groupe central
comme une machine de guerre médiévale, l'a
entendu.

— Rassurez-vous, monsieur le maire, cela
ne paraîtra pas à l'image.

Une chance! Plus encore que malheureux,
Gilbert se sent dans un état nerveux, indescrip-
tible, étrange. Il ne reconnaît pas la souffrance
telle qu'on la lui a racontée, telle qu'on en parle
dans les livres ou dans le langage convenu, une
chose noble et terrible. Il la voit dans les
regards, les attentions qui l'entourent, les gros

yeux marron de Ferrand, pleins d'une compassion canine, le regard éloquent de Levraut :
« Je suis passé par là, ou presque », l'absence
même de Maillard qui avait bien l'intention
d'asticoter un peu l'élégant Saint-Julien, mais
y a renoncé, pour ne pas aggraver la situation...

Fraternité, compassion humaine, quel rapport avec cette terrible impatience dans les
jambes, ces crispations, cette vague nausée?
« *Chante l'Amour* », odieux slogan, quand on
sait ce que c'est l'amour, quelle lente paralysie,
quel progressif détachement de tout il finit par
créer, quel nivellement des valeurs, quelle
négation de tout effort, de tout progrès! Ce
qu'elle appelle l'amour, naturellement. Elle,
Jeannette. « Elle n'a plus toute sa raison. » Quel
effet, cette simple parole! Il l'a rejetée dans les
limbes, dans un no man's land homologué.
Personne ne peut prendre sa défense, car la
raison est reine, car la raison triomphe
aujourd'hui. Il l'a rejetée non de son cœur,
mais de son univers même : à jamais apatride,
Jeannette.

Et lui à jamais privé de quelque chose; mais
on ne dit pas : « Il n'a plus toute sa folie », ça
ferait rire.

— Tout le monde est prêt? Monsieur le
maire, vous accueillez monsieur le représen-

tant du ministre. Les portes s'ouvrent — ils
sont prêts, là-dedans? Oui? Parfait. Les portes
s'ouvrent, vous entrez avec le groupe des
officiels, on vous suit après un plan sur l'illumination de la façade, et on laisse entrer une
petite partie de la foule pour avoir du monde
autour, quelques interviews spontanées, peut-
être une petite déclaration de M. le maire, tout
de même, sur l'inachèvement des travaux,
et on coupe un moment pour réinstaller
dans l'expo des dessins d'enfants, d'accord?
D'accord?

— Comment, les travaux ne sont pas ache-
vés? s'étonne Saint-Julien.

Levraut s'est glissé près de Bernard Blanc
avec lequel il a passagèrement travaillé — avec
qui n'a-t-il pas travaillé?

— Ça m'a fait un vrai plaisir, Jean-Hubert,
d'apprendre que tu étais nommé ici! Tu vas
nous faire des choses extraordinaires!

Bernard Blanc, qui a trente ans mais en
paraît vingt ou vingt-deux, est toujours gentil,
par système, comme d'autres sont méchants.
Mais à force, il a fini par le devenir.

— Merci, mon petit chou, tu es un amour.
Mais écoute, il se passe une chose é-pou-
van-table!

— J'ai bien vu que tout ne marchait pas sur
des roulettes, j'allais même...

— Non-on-on! Surtout! Pas un mot, pas une question au maire! Figure-toi qu'on avait à peine arrêté une grève, une panne, que sais-je, le malheureux reçoit un coup de fil d'une clinique où était sa femme : elle est devenue folle!

— Folle! Vraiment folle?

— Tu connais deux façons de devenir fou, toi? Folle à lier! Il paraît même que ce serait elle qui serait à l'origine de la panne. Elle se serait mis dans la tête que si elle n'arrêtait pas la carrière de son mari, il allait l'abandonner! Alors elle se serait faufilée dans la cave et elle aurait bousillé les circuits. Remarque, ça c'est des on-dit! Ce dont je suis sûr, c'est qu'elle est devenue folle. Alors, sois chic. Je te dis ça à toi parce que...

— Mais bien sûr! Mais naturellement! se récrie Bernard Blanc. Remarque, sa carrière, je n'en ai rien à foutre, tu sais comment je pense, mais un malheur pareil...

— Il est fou de douleur, dit Levraut avec une pitié complaisante. Pour la panne, officiellement, farce d'étudiants. A moins que tu n'aies une meilleure idée...

— On n'est pas des bêtes! s'indigne le garçon. Je parlerai de tout autre chose. Ça lui laissera le temps de récupérer. Allez, retournes-y, mon vieux. Je te fais un joli gros plan, et pas de questions vicieuses. Toi au moins tu as

l'air en pleine forme!... On y est, tout le monde?
Monsieur le maire, ça tourne! Accueillez,
accueillez...

Gilbert Lefèvre et Jean-Georges de Saint-
Julien s'avancent l'un vers l'autre. En
direct.

Les glissières ont joué. Dans son dos, Marie-
Christine entend la rumeur s'amplifier dans le
hall. L'émission est commencée, les portes sont
ouvertes. Qu'est-ce qu'il lui reste? Dix minutes,
peut-être.

— Vous êtes croyante? dit-elle brusquement.

— Vous voudriez que je me retire dans un
couvent? Ou c'est pour l'annulation?

— Ce serait plutôt pour vous trouver une
excuse, dit Marie-Christine.

Un moment elles se regardent. «Ce qu'il
faudrait, c'est que je sois comme elle, dure,
fermée, cramponnée à une seule idée : rester
là, juste dix minutes, ne poser aucune question,
ne faire aucune réponse. Affirmer seulement :
je suis là. L'adhésion. Stalinienne. Mystique.
Tu es celui qui est. Se persuader que Marie-
Christine n'existe pas, est folle, perverse,
déviationniste, hérétique. Et ne pas percevoir
un seul instant que c'est vrai qu'elle me

cherche une excuse. Mais est-ce que j'en ai besoin? »

« Ce qu'il faudrait, c'est trouver une raison qu'elle puisse admettre, c'est-à-dire une raison qui n'en soit pas une. Je pourrais lui dire qu'il m'aime, mais elle sait que ce n'est pas vrai. Mireille saurait. Elle a bien su la convaincre de venir. Mais il y a des choses que sait Mireille et que je ne sais pas. Ni Jeannette, d'ailleurs. Des choses d'avant... »

— Une excuse? Vraiment?

— Une excuse et une consolation.

— Parce que vous vous imaginez que je suis assez bête pour me laisser faire?

La colère gagne Jeannette, va peut-être la sauver.

— Ne vous braquez pas sur un mot, dit Marie-Christine. (Son débit est devenu fiévreux et rapide, une légère odeur de blonde échauffée parvient aux narines de Jeannette.) Je disais sacrifice, parce que le mot me paraissait correspondre à votre vocabulaire. Disons que vous attendez de Gilbert quelque chose qu'il ne peut pas vous donner. Les temps où la politique pouvait être aussi une mystique sont révolus. Les pays où ces temps-là durent encore sont des pays totalitaires, où l'homme est écrasé. Votre amour pour Gilbert est totalitaire, anachronique. Il est condamné comme

les plésiosaures. Il est condamné par vous-
même, qui buvez pour n'en avoir qu'à moitié
conscience, par Gilbert, qui vous laisse boire,
qui vous fait boire pour pouvoir le supporter.
Votre amour vous détruit, c'est une drogue.

— Le mal de la jeunesse...

— Le mal de la jeunesse dans un pays vieux.
Dans un monde vieux, qu'il faut choisir de
sauver avec sang-froid ou de perdre dans le
fanatisme et le délire. Je veux sauver Gilbert.

— Mais est-ce qu'il faut se sauver? dit
Jeannette, d'une voix étonnée.

Et elle s'entend parler. Alors elle lève les yeux
sur le visage de Marie-Christine qui ne répond
pas, et elle y voit ce qu'elle s'attendait le moins
à y trouver : une mystérieuse fraternité.

— Ah! si on se demande cela... dit enfin
Marie-Christine. Mais c'est... (sa voix fléchit un
peu) mais c'est mon honneur à moi, voyez-
vous, de ne pas me le demander.

Et à cause de ces mots, Jeannette a le
sentiment de ne pas partir tout à fait les mains
vides.

— Par où...?

— Par là. Vous traversez la galerie mar-
chande, elle est encore interdite au public, et
juste en face, à côté des lavabos, vous avez une
petite porte qui donne rue Jules-Vallès. Et une
station de taxis.

Elles chuchotent maintenant, comme des complices. Des voix amplifiées par les micros, impossibles à reconnaître, emplissent l'espace sombre du hall.

— Vous direz à Gilbert... Je vais prendre le train de Paris. Je réfléchirai. Je verrai. Je...

— Mais bien sûr! Mais bien entendu! s'empresse Marie-Christine, le visage défait par sa victoire.

Au moment où elle ouvre la porte de la galerie, Jeannette se retourne, un mouvement incontrôlé, pas de la sympathie, non, mais, quand Marie-Christine a dit le mot « honneur », ce vieux mot qui n'a plus de sens, plus de vie, elle a pour jamais cessé de la détester.

— Allez, je ne crois pas que je reviendrai, ma petite fille. Soyez tranquille.

Est-ce « ma petite fille »? Le pardon? La promesse? Marie-Christine soudain éclate en sanglots, le visage caché dans les mains, et balbutie :

— Oh! j'ai honte! J'ai honte! Si vous n'étiez pas partie, j'allais mentir, j'allais vous dire... que j'allais avoir un enfant...

Et Jeannette, maintenant la porte ouverte un dernier instant :

— Vous en aurez, ma petite fille. Vous, vous en aurez.

Jeannette se trouve seule dans la rue Jules-Vallès, rue étroite, bordée de maisons d'un seul côté, et de l'autre, séparée du parc par un muret. Muret aisé à franchir : d'où l'invention du billet global. Il y a une heure encore, le billet global faisait partie de sa vie, comme la motion Barbarin ou... elle cherche un exemple, n'en trouve pas. Je suis vidée. Non, pas vidée : vide. Enfin elle a accouché de Gilbert.

M. de Saint-Julien, entouré d'une foule murmurante, parle dans le micro de Bernard Blanc. Certes, il est enchanté, honoré même, d'inaugurer la maison de la culture d'A. Elle ne doit pas cependant faire oublier les magnifiques réalisations de... et de... Complaisamment Bernard Blanc le laisse dévider la liste de toutes les réalisations des municipalités votant bien, et Ferrand pousse Gilbert dans le dos, et Buckerman toussote, et le premier adjoint saute d'un pied sur l'autre, et dans la foule Maillard lève les yeux au ciel. « Mais est-ce qu'il va le laisser parler deux heures? Mais interrompez-le, bon sang! »

Marie-Christine est rentrée discrètement, par le fond, dans le hall, les yeux rougis. Qu'est-ce qu'il lui a pris d'éclater en sanglots, comme ça? Comment s'est rouverte une blessure depuis si longtemps oubliée? Surprise plus encore que chagrine; et patiente comme la travailleuse obstinée qu'elle est. La plaie cicatrisera; il suffit d'attendre. Et un jour, sous la croûte qu'on fera sauter d'un coup d'ongle, apparaîtra la peau toute neuve.

Gilbert lui lance un regard. Elle fait « oui » de la tête de loin. Oui, tu peux te reposer sur moi. Oui, j'ai tout réglé, quoi qu'il m'en ait coûté. Oui tu es débarrassé de ce qui t'était le plus néfaste et le plus cher. Elle comprend son désarroi, sa souffrance bête d'amputé. Un moment, à se pencher sur l'abîme où tout s'équivaut, où tout se rejoint, n'en a-t-elle pas elle-même ressenti l'attrait? Oui, tout est fini. Tu n'as plus qu'à te lancer, maintenant, dans la voie toute droite qui s'ouvre vers l'avenir, débarrassé de l'ambiguïté, de l'imprévisible, de ce qui s'agite dans les caves profondes et qui n'en sortira plus qu'exorcisé. Je te suivrai, je te précéderai peut-être sur cette route sans détours, sans forêts dangereuses, sur cette route pure comme une idée.

Et redevenue sereine, efficace, jeune femme parfaite chargée des « relations publiques », elle se faufile jusque dans le groupe qui entoure Gilbert.

— Il devrait intervenir! chuchote Jalabert.

— Naturellement, quand on tombe sur un

animateur U.D.F... dit Ferrand un peu plus haut.

— Oh! vous n'êtes pas juste! dit Jean-Hubert Levraut. Il parle pour laisser Gilbert récupérer. C'est un très gentil garçon, je vous assure. Il était tout triste, d'apprendre ça.

Gilbert entend, attend, sans réactions. Jeannette pourrait revenir. Lui-même, demain, un coup de fil à Renaudin, il saurait où elle est, même si elle n'est ni à A., ni dans leur studio parisien. Et pourtant, il a la conviction qu'au milieu de cette fête, de cette réussite, son destin s'est scellé. Il ne fera rien. Comme il n'a rien fait pour la quitter, ni pour la guérir. C'était peut-être le prix à payer? Si ton œil te fait pécher, arrache ton œil. Un arrachement. Me ressaisir. La voix un peu précieuse de Levraut parvient à ses oreilles.

— Et je le connais bien, moi, Bernard Blanc. Je puis même dire que c'est moi qui l'ai fait débuter (petit rire). Il ne me ferait pas ça, à moi. J'ai trouvé une idée qui arrange tout; l'idée de la farce d'étudiants était bien faible, entre nous. Est-ce qu'on fait encore des farces à notre époque? Je le déplore, du reste... Signe des temps! J'ai dit que c'était la malheureuse qui, dans un accès de...

Gilbert n'a pas un instant de doute. La *malheureuse*, maintenant, pour lui, ce sera toujours Jeannette.

— Naturellement, on démentira, que dis-je! on n'aura pas à démentir. Personne ne se permettra, naturellement, de poser aucune question. J'avoue que je ne suis pas mécontent...

Et Marie-Christine, arrivée enfin jusqu'à Gilbert :

— Ne te retourne pas. Il n'y aura aucun incident. Je l'ai fait filer par derrière. Attention! Ça va être à toi d'intervenir.

Le hall, bourré à craquer, bien que la majeure partie du public soit encore contenue dehors; la joyeuse animation des serveurs derrière les tréteaux du vin d'honneur; la vue du parc qui s'enfonce doucement dans la pénombre; le plafond bombé constellé de centaines de petites lampes pendant au bout de fils d'acier rigides, étoiles prisonnières; les murs bombés troués de hublots de toutes les tailles, découpant le monde extérieur en tableautins inaccessibles... La frivolité des grands malades, un instant, envahit Gilbert. Un bout d'affiche, « *chante l'Amour* »; un enfant sur les épaules de son père; deux corps sans tête qui s'étreignent; un petit chien; un chapeau. *Dehors*, des fragments, les morceaux d'un puzzle. *Dedans*, Bernard Blanc, le micro à la main, qui l'interroge du regard. Dans la Bulle. Il est dans la Bulle, tranquille à jamais. *Il n'y aura aucun incident.* Dehors, Jeannette; dessous, la sourde agitation sans nom des caves; mais dans la Bulle, aucun incident. La Bulle est éternelle. Il y a son rôle, il y a sa place et sa fonction. Il y est utile, nécessaire. Mais s'il n'y avait pas eu la Bulle, cette situation bâtarde, intolérable, ça aurait pu durer dix ans, ça aurait pu durer toujours! Et à cette idée, il se sent envahi d'un tel bonheur, d'une telle tentation dissolvante de fuite, d'abandon, qu'il en éprouve comme un vertige physique, cette impulsion que les caractères forts connaissent tous une fois dans leur vie : celle de se renier tout à coup, tout à fait.

Et comme le technicien lui fait signe, et que c'est du direct, Bernard Blanc ne peut plus patienter.

— Monsieur le maire, avant de nous transporter dans la salle des expositions, qui est consacrée aux enfants de nos écoles, quelques mots sur l'édification de cette maison de la culture, due, je crois, à l'architecte Albert Guerraïtis, et que le public, enthousiaste ou non, appelle déjà familièrement, je ne me trompe pas, la Bulle.

Son beau regard franc, son sourire amical restent figés une seconde de trop. Est-ce que ce type va craquer? Déjà il prépare une phrase sur le « courage extraordinaire » du maire d'A.

qui après un deuil, non, pas un deuil, une *épreuve* familiale, a tenu à se trouver présent... Un peu moins souriant, il se donne encore quelques secondes :

— Qu'une architecture soit controversée indique au moins qu'elle excite l'intérêt, et je ne crois pas trop m'avancer, monsieur le maire, en disant que l'intérêt soulevé par la Bulle est considérable, et, j'ose le dire, associé étroitement à votre nom. Cette Bulle, cette maison de la culture, vous l'avez voulue résolument tournée vers l'avenir.(« Bon, bon, Jean-Hubert, pas la peine de me faire des yeux suppliants, je remplis, je remplis, mais je ne peux pas remplir indéfiniment! Il faut tout de même qu'il finisse par ouvrir la bouche! ») Est-ce que les programmes que vous comptez offrir à vos administrés seront marqués du même modernisme?

— Eh bien, mon ami et collaborateur Jean-Hubert Levraut, dont la réputation n'est plus à faire, vous dira mieux que moi, dans quelques instants, en nous faisant les honneurs de notre salle de spectacle, nos projets les plus immédiats. Mais d'ores et déjà...

Une détente presque perceptible gagne l'équipe, groupée en demi-cercle autour de Gilbert, et comme par ricochet, s'étend aux techniciens qui ont rapproché leur caméra mobile, leur perche. Le sourire de Bernard Blanc devient plus naturel. Quand un homme politique débite des lieux communs, c'est qu'il revient à son état normal. Le « d'ores et déjà » de Gilbert retentit aux oreilles anxieuses de son entourage comme un « Vade retro Satanas ». « Qu'est-ce que je peux lui demander qui ne le heurte pas? Et qui, tout de même, soit un peu... Tout ça est d'un morne... »

— Je vois, monsieur le maire, que si l'architecture de la Bulle est futuriste, votre programme comprendra nombre de spectacles d'un classicisme éprouvé. Les goûts et la solide érudition de Jean-Hubert Levraut nous le faisaient du reste pressentir. Mais alors, à l'inauguration de cette fête de la Culture, pourquoi un chanteur populaire?

Bref moment de stupeur de Gilbert. C'est tout juste s'il sait de quoi on lui parle. Il était en train de préparer un éclat de rire en réponse à l'inévitable question sur la cave, la panne... Mais non, c'est vrai, c'est Jeannette, ou du moins c'est Jeannette et sa folie qui serviront de paravent. « C'est la première fois qu'elle me protège, au lieu de me nuire. Tu vois? Il fallait la sacrifier. Tu as eu, une dernière fois, raison. Raison d'elle. »

Devant le bref silence, Bernard Blanc enchaîne avec brio :

— Je vois que je vous embarrasse un peu, monsieur le maire. La chanson d'amour, d'amour-toujours, telle qu'on l'entend aujourd'hui sur les ondes, ce n'est pas tout à fait de la culture, pour vous?

— La culture populaire, sous toutes ses formes, a le droit d'être représentée dans une fête qui est, aussi, une fête populaire. Il n'y a pas deux cultures comme il n'y a pas deux publics, répond machinalement Gilbert.

« Oh, si! Comme il y a deux langages. Comme j'ai, comme j'avais deux vies qui s'arrachent l'une à l'autre... » Il continue :

— Mais il y a une différence. Une différence entre cette sentimentalité malsaine et une aspiration légitime à l'émotion artistique. L'amour... (Il s'arrête un moment, suffoque presque. Bernard Blanc, inquiet, se jette à la rescousse.)

— L'amour existe évidemment dans tous les genres, de Racine à la chansonnette; c'est un phénomène bien anodin...

— Ah! oui? Vous trouvez que toutes ces chansons, ce lyrisme sans objet de notre époque, c'est anodin?

« *Elle pleurait.* »

Bernard Blanc : « Il déraille. Mais quel sujet aborder? »

— Enfin, c'est évidemment d'un domaine

très différent de celui... c'est la vie privée, en somme, avec ses divertissements modestes, ce n'est pas...

Il va revenir à la Bulle, mais Gilbert le coupe.

— Vie privée!

« Vie privée de quelque chose, oui, de quelque chose... » Et de ressentir cette privation le met en colère, ses tempes battent, une fureur faite de honte et de désespoir monte en lui ; elle est partie comme une victime, mais elle n'est pas une victime! C'est lui, paralysé, fasciné par cet invivable absolu, qui aurait été la victime s'il s'était laissé faire.

— Vie privée! Mais il n'y a pas de vie privée, cher monsieur, qui ne relève de la vie publique, de l'économie, de la politique!

Claude Ferrand et Buckerman se regardent anxieux. Va-t-il retomber sur ses pieds? Jalabert regarde ses ongles.

— Car tout se tient! La « sentimentalité » comme vous dites, n'est pas une petite chose anodine : c'est la manifestation d'esprits désemparés qui refusent l'avenir, le progrès. C'est une manifestation de décadence ni plus ni moins que la férocité des Romains, les jeux du cirque.

« Elle buvait pour lui faire honte, honte d'avoir raison. Non, Jeannette, plus jamais ça. »

— ... Et ce n'est pas un hasard, en cette fin de siècle, si cette émotivité désordonnée coïncide avec une montée de la violence!

Ah! La violence, en effet, c'est un sujet, et qui va sûrement nous ramener à la Culture qui, pour les jeunes, est enrichissement, discipline. Buckerman respire. Ferrand attend. Jalabert relève les yeux. Bernard Blanc hoche la tête avec componction. Ah! La violence! Le ton, seulement, du maire d'A. l'étonne. Une sourde exaltation, qui perce. S'exalter sur l'amour et la violence, de nos jours! Mais le malheureux doit penser à ses ennuis évidemment.

— Non, ce n'est pas un hasard, et c'est contre... contre tout cela que nous avons voulu dresser cette maison... cette maison de la culture.

Contre quoi? Mais enfin, il en revient à l'inauguration. M. Saint-Julien regarde de temps en temps le maire avec une surprise qui, de bénigne, devient ironique. Si c'est avec de tels discours qu'il croit être réélu...

— Le moment est venu où il faut choisir entre un monde d'injustice, de violence, d'émotions puériles, d'ignorance complaisante, et un monde d'ordre et de progrès. Nous devons affirmer les valeurs de la civilisation en face des forces obscures qui les menacent. Et elles sont nombreuses, ces forces, et elles se parent, pour exercer leur œuvre d'abêtissement, des couleurs les plus nobles. Sentimentalité, religiosité, je mets tout ça dans le même sac! Et avec eux, votre amour qui fait délirer les foules, les miracles de Lourdes, les casseurs de vitrines, les sectes qui s'installent partout...

Il met les sectes dans le même sac que Lourdes! Et les casseurs! Ferrand a un mouvement pour s'élancer, l'arrêter à tout prix. Jalabert d'un geste lui montre le champ des caméras, cadrées sur Gilbert sous trois angles différents.

— L'anéantissement de toutes les valeurs pour lesquelles nous avons lutté, le mépris de l'effort au nom de je ne sais quelle fumeuse mystique d'égalitarisme et de liberté, voilà le danger que chaque concession rend plus actuel!

« L'anéantissement, les yeux égarés de Jeannette, plus jamais! »

« Il devient fou » (Buck).

« C'est la catastrophe! » (Ferrand).

« Curieux, mais au fond pas si faux » (Saint-Julien).

Bernard Blanc a vers Levraut un geste d'impuissance : « J'ai fait ce que j'ai pu. Ce n'est pas ma faute s'il perd la tête... et ça fait tout de même une émission dont on parlera! »

— Dans ces conditions, dit-il, on peut se demander pourquoi vous avez autorisé, justement, ces chansons d'amour que vous jugez...

Il n'a même pas le temps d'achever.

— Il s'agit bien de chansons! Il s'agit d'un état d'esprit contre lequel j'ai eu tort de ne pas lutter tout de suite, de toutes mes forces! dit Gilbert avec une fureur qui sidère. Vie privée, disiez-vous? Une vie privée où s'insinuent ce nivellement de tout, cette démission, ce... ce laxisme qui se déguise en idéalisme prétentieux, menace notre civilisation même, notre... notre idée de l'homme! Il y a des évasions malsaines, qu'elles soient en apparence futiles ou au contraire complètement délirantes. Et elles travaillent au retour d'une barbarie incontrôlable, que rien n'endiguera si l'on n'y met un terme, au besoin par la force!

Un bref silence stupéfié. Une voix jeune et fraîche, au fond de la salle, crie:

— Facho!

— Il s'est coulé, dit Buckerman avec consternation.

— Je le crains, dit Jalabert avec une extrême politesse qui est déjà un signe.

Bernard Blanc, un moment ébahi, enchaîne:

— Vous avez vu, cher spectateur, avec quelle passion Gilbert Lefèvre défend sa conception de la culture, à laquelle il a consacré sa vie. Qu'on la partage ou non, nous allons dans quelques instants poursuivre notre visite de cette maison de la culture pas comme les autres... Coupez!

Au milieu d'un groupe catastrophé, Gilbert reste hébété. Les techniciens déménagent les câbles et les caméras.

— C'était préparé? demande Bernard Blanc avec curiosité.

Mais devant les regards de l'équipe, il bat en retraite vers la salle des expositions.

— Viens, dit Claude Ferrand à Gilbert, viens te reposer un moment.

Jalabert ne suit pas. Ni Marie-Christine.

« Eh bien, pense-t-elle, encore anesthésiée par la stupeur, elle l'a eu quand même, finalement. »

Un beau jeune homme vêtu de blanc, qui vient d'achever de se démaquiller, se dirige paisiblement vers la maison de la culture pour participer au vin d'honneur, auquel il est invité. La foule qui n'a pu entrer dans la Bulle s'écarte sur son passage, avec un murmure d'admiration. « Un ange... soupirent les femmes, un ange... » Le jeune homme approche de la Bulle, il sort de la zone d'ombre pour entrer dans la zone de lumière.

— Je ne resterai qu'un moment, dit-il à sa suite — le temps de faire acte de présence.

Dans une rue déserte qui monte vers la gare, une dame un peu forte avance avec peine. Elle pense qu'elle a mal aux pieds, et que la première chose qu'elle fera en arrivant à la gare, ce sera de prendre un double cognac.

Cet ouvrage a été réalisé sur
SYSTEME CAMERON
par Firmin-Didot S.A.
le 4 mars 1981

Dépôt légal : 1ᵉʳ trimestre 1981
N° d'édition : 5522
N° d'impression : 7733
ISBN 2-246-23081-0